J TWA
Twain, Mark, 1835-1910.
Las aventuras de Tom Sawyer

S0-AVU-196

DATE DUE		
SEP 8 3 1997		
JUL 0 3 1999		
SEP 1 6 2000		
JAN 1 8 2001		
NOV 1 2 2005		
OCT 1 2 2008		

MINTURN BRANCH
EAGLE COUNTY PUBLIC LIBRARY
P.O. BOX 328
MINTURN, COLORADO   827-4240
                                      81645

EAGLE COUNTY PUBLIC LIBRARY

1 06 0001329686

LAS AVENTURAS DE TOM SAWYER

MARK TWAIN

LAS AVENTURAS DE TOM SAWYER

FERNÁNDEZ editores

LAS AVENTURAS DE TOM SAWYER
POR MARK TWAIN
PRIMERA EDICIÓN, 1987
SEGUNDA REIMPRESIÓN DE LA PRIMERA EDICIÓN, JULIO 1991

Derechos reservados conforme a la ley por: © 1991 FERNÁNDEZ editores, s.a. de
c.v. Eje 1 Pte. México Coyoacan 321, Col. Xoco. Delegación Benito Juárez. 03330 México, D. F. (MÉXICO). Miembro No. 85 de la Cámara Nacional de la Industria Editorial
Mexicana. Se terminó de imprimir esta obra el día 30 de julio de 1991 en los talleres
del editor. Publicación de 5,000 ejemplares más sobrantes de reposición.

ISBN 968-416-896-9

Las características de esta edición, así como su contenido, son propiedad de
FERNÁNDEZ editores, s.a. de c.v., no pudiendo, la obra completa o alguna de sus
partes, ser reproducida mediante ningún sistema mecánico o electrónico de repro-
ducción, incluyendo el fotocopiado, sin la autorización escrita del editor.
IMPRESO EN MÉXICO — PRINTED IN MEXICO

AMIGO LECTOR

El 30 de noviembre de 1835, en el pequeño poblado de Florida, Misuri, nació Samuel Langhorne Clemens. Su infancia transcurrió en las cercanías del río Misisipi, donde se desarrolla la acción de varias de sus novelas.

Siendo muy joven, comenzó a trabajar en los barcos que recorrían el río. Ahí fue donde escuchó a los marineros la expresión *mark twain* que indicaba *marca dos brazas* de profundidad en el agua, y decidió usarla como seudónimo. Además, trabajó como minero, impresor y periodista, y en 1867 apareció su primer libro; pero no fue hasta 1876 cuando se publicó *Tom Sawyer*, una de sus obras maestras, y su continuación *Huckleberry Finn*.

Entre sus otros libros, son dignos de mención *El príncipe y el mendigo* y *Un americano en la corte del rey Arturo*.

Humorista de nacimiento, Mark Twain nos ofrece una visión típicamente norteamericana de su tierra y su tiempo, envuelta en una sonrisa limpia, sin sarcasmo ni ironía, que comparte con el lector y le deja un mensaje de rechazo a la hipocresía y la afectación.

Al escribir *Las aventuras de Tom Sawyer*, Twain no se concretó a plasmar páginas divertidas y aventuras truculentas, sino aprovechó la ocasión para dejar una serie de descripciones —lugares, hechos y la manera de ser y de vivir— del pueblo norteamericano.

Las aventuras de Tom Sawyer es, sin duda, su máxima novela para el público juvenil. La acción se desarrolla en San Petersburgo, que no es otro que Hanibal, Misuri —poblado donde transcurrió buena parte de la infancia de Clemens—, debidamente idealizado por la acción del tiempo y del recuerdo. Los personajes son los habitantes del pueblo en la década de 1830 a 1840; tanto niños como jóvenes y adultos están retratados con gran simpatía.

En alguna ocasión, Twain describió su libro como "un himno sencillo, puesto en prosa para darle un carácter más universal". Esta actitud fue típica de la época, cuando los escritores del país se dedicaban a las historias que hablaban de la vida anterior a la guerra civil, y los sucesos eran vistos desde el ángulo del humor norteamericano, para el cual era un prototipo cualquier cuento sobre la escuela dominical en el templo.

Otro aspecto interesante, es el carácter de los niños de entonces, perfectamente compatible con los actuales; para ellos todo lo artificial resulta ridículo, despreciable. Por ello, Tom afirma desde el primer capítulo que él no es el chico modelo del pueblo; y no sólo conocía muy bien ese modelo, también lo odiaba. Tom es el niño normal: irresponsable, descuidado, pero de gran corazón, y ello es suficiente para ir ganando simpatía entre todos.

El final feliz hace este libro ideal para viejos y jóvenes, pues nos da una vívida pintura de esos muchachos que los adultos de hoy fuimos ayer.

Twain manifestó siempre una gran sensibilidad, y la característica dominante de su persona estuvo constituida por la finura y la delicadeza en sus conceptos, empleados aun cuando escandalizaba con su palabra a quienes no lo conocían a fondo. Por ello, W. D. Howells dijo de él: "no puede conocérsele bien sin darse cuenta de que es el más serio, el más humano y el más consciente de los hombres."

Capítulo I

L A ANCIANA SE PUSO LOS ANTEOJOS y miró alrededor del cuarto. Hizo un gesto de enfado y dijo:

—¡Tom! ¿Dónde se habrá metido ese muchacho?

Nunca veía a través de los cristales, y menos una cosa tan insignificante como un niño. Su máximo orgullo eran aquellos lentes de ceremonia hechos para ornato y no para usarse. Durante unos instantes permaneció perpleja y luego murmuró amenazante:

—¡Vaya!, te aseguro que si te atrapo te voy a...

Dejó sin terminar la frase pues estaba agachada tirando escobazos bajo las camas. El único que salió fue el gato y huyó por la ventana.

—¡Nunca he visto cosa igual a ese muchacho!

Llegó hasta la puerta y se detuvo. No había ni la menor sombra de Tom. Entonces gritó:

—¡Tom... Toooom!

En ese preciso momento, Tom se escurría a sus espaldas, cuando fue visto por la anciana y sujetado por el cuello de la camisa.

—¡Ya te tengo! ¿Qué estabas haciendo ahí?

—Nada.

—¿Cómo que nada? Mírate la cara, estás lleno de melcocha, ya te dije que dejes ese dulce. Dame esa vara.

La vara se agitó en el aire. Tom distrajo a la anciana para

poder escapar. La tía Polly se quedó estupefacta y luego se echó a reír.

—¡Diablo de muchacho! ¿Cuándo aprenderé sus tretas? Me ha hecho infinidad de jugarretas y todavía le hago caso. Parece saber hasta dónde puede molestarme sin que me enoje. No cumplo mi deber respecto a ese muchacho pero, ¡qué le vamos a hacer! Es hijo de mi difunta hermana. Esta tarde se irá de pinta y no habrá más remedio que obligarlo a trabajar mañana como castigo.

Tom, efectivamente, faltó a la escuela y se divirtió en grande. Regresó a casa para ayudar a Jim a cortar la leña para el día siguiente. Narró sus aventuras al negrito en tanto que éste hacía su tarea. Sid, el hermanastro de Tom, había terminado de recoger astillas y se disponía a descansar; era un muchacho tranquilo. Tom, en cambio, no desaprovechaba oportunidad de escamotear dulces a su tía, quien se esforzaba en sacarle confesiones reveladoras. Al igual que otras personas, se vanagloriaba de sus artimañas como maravillas de astucia.

La anciana preguntó mañosamente al muchacho lo que había hecho durante el día. Tom sintió una alarmante sospecha al adivinar las intenciones de su tía.

—¿No tienes calor, Tom?

La anciana palpó la camisa de su sobrino y comprobó con gusto que estaba seca.

Tom supuso por dónde soplaba el viento, así que contestó:

—Algunos muchachos estuvimos echándonos agua en la cabeza, todavía la tengo húmeda, tócame. No pienses que me fui a nadar.

La tía Polly quedó indecisa, pensó que había fallado esta vez. Pero tuvo una nueva inspiración.

—Dime, Tom, ¿tuviste que descoserte el cuello de la camisa para mojarte la cabeza?

De la cara de Tom desapareció la alarma. El cuello estaba cosido. No había razón para preocuparse.

—¡Diablo de chico! Estaba segura de que habías ido a nadar. Eres como un gato escaldado.

Que su sagacidad hubiera fallado le dolía un poco, pero le alegraba que Tom la hubiera obedecido.

—Mira, tía —dijo Sid—, el cuello estaba cosido con hilo blanco y ahora el que tiene es negro.

—Es verdad...

Pero Tom no esperó el final, y escapó por la puerta jurando venganza contra Sid. Ya en un lugar seguro se preguntaba por qué su tía usaba hilo blanco e hilo negro indistintamente. Eso era una contrariedad para él, pues nunca podía saber cuándo usaba uno y cuándo otro.

Apenas dos minutos después, ya olvidadas sus desgracias, tenía un nuevo interés: silbar tal y como lo adiestraba un negro, y quería practicar a solas.

La dedicación y la perseverancia lo llevaron a la perfección. Experimentaba la misma sensación que un astrónomo cuando descubre una estrella.

Todavía no era de noche cuando caminaba silbando alegremente. De pronto, delante de él se encontró un forastero; esto constituía un incidente emocionante en el pueblo.

Era un chico bien vestido, pero había en su persona cierto aire ofensivo para Tom. Cuanto más veía la ropa del extraño, más rota y usada le parecía la suya. Ambos chicos permanecieron un rato frente a frente sin hablar, luego:

—¿Cómo te llamas? —dijo Tom.

—¡Qué te importa!

—Si me da la gana, verás si me importa.

—¡Atrévete!

—¿Te crees muy chistoso?, con una mano te puedo dar una paliza. Además, ¡vaya sombrerito! —dijo Tom.

—Si dices más, te doy una pedrada.

Después de unos cuantos empujones, Tom dijo:

—¡Lárgate de aquí!

—¡No me da la gana!

Así permanecieron forcejeando hasta que ambos quedaron exhaustos; durante un momento estuvieron quietos, pero Tom volvió a exclamar:

—¡Mujercita!

—Eres un cobarde, te daré tu merecido.

Tom marcó con el dedo gordo del pie una línea en el suelo y dijo en tono amenazador:

—Si pasas esta raya, haré que me pidas perdón.

El forastero inmediatamente pisó la línea y contestó:

—A ver si es cierto.

En ese momento los dos rodaron por el suelo como gatos, forcejeando durante un minuto. Cuando la confusión tomó forma, Tom estaba encima del forastero moliéndole a golpes, entonces exclamó:

—¡Ríndete!

El niño balbuceó "me doy" y Tom le permitió levantarse diciéndole:

—Eso es para que aprendas.

El vencido se retiró y, cuando estuvo descuidado Tom, le arrojó una pedrada que le dio en la cabeza. El agresor corrió al ver que el golpeado clamaba venganza. Aquella noche Tom llegó muy tarde a su casa y su tía tomó la resolución de condenarlo a trabajos forzados durante todo el sábado.

Capítulo II

EL SÁBADO LLEGÓ. Todos se veían contentos. Tom apareció con una cubeta de cal y una brocha. Miró el cerco y su alegría acabó; era una valla de treinta metros por tres de altura. Pensó que su vida no le alcanzaría para terminar. Luego suspiró y comenzó su labor. Jim salió por la puerta haciendo muecas de burla. A Tom siempre le había parecido insoportable acarrear agua desde el pueblo, pero recordó que esa sería una buena oportunidad para dejar el odioso trabajo. Sabía que, aunque la fuente estaba a tan sólo media hora, Jim siempre se tardaba horas enteras.

—Oye, Jim —dijo Tom—, yo voy por el agua, mientras tú pintas la barda.

—El ama me prohibió ayudarlo. No puedo.

—No importa, siempre es lo mismo. Anda, dame el balde.

—Es que no me atrevo, me castigaría.

—Nunca hace eso con nadie. Te regalo mi canica blanca.

La tentación era demasiado fuerte, pero su miedo era mayor y no corrió el riesgo. Tom comenzó con furia su trabajo, mientras la tía Polly saboreaba el triunfo.

Sin embargo, Tom comenzaba a pensar en la maravillosa diversión que le esperaba ese día. Pronto, los muchachos pasarían y se burlarían de él porque tenía que trabajar. Así pues, examinó sus "riquezas" y pensó en comprar un poco de libertad, pero comprendió que no era suficiente y desechó la

...y mientras el ex Gran Misuri trabajaba, el artista retirado pensaba cómo engatusar a más incautos.

idea. En aquel instante le llegó una inspiración. Decidió ponerse a trabajar arduamente.

Ben Rodgers apareció en ese momento: se aproximaba saltando, señal de que se divertía enormemente. El niño se imaginaba ser un vapor navegando en aguas del Misisipi. Cuando se acercó a la esquina, se detuvo pesadamente, pues la corriente podía volcarlo. Era el *Gran Misuri*. Ben era capitán, buque y máquinas.

Tom continuaba su trabajo, mientras el vapor se acercaba a él. Ben lo miró y dijo:

—¡Je, je!, ¿la estás pagando?

Tom no contestó, sino, por el contrario, examinó detenidamente su obra. Ben atracó a su costado.

—Hola, compadre. ¿Te obligan a trabajar? Oye, me voy a nadar. ¿Te gustaría venir?

Tom lo miró, y después de reflexionar, le dijo:

—Bueno, puede que sea trabajo, pero me gusta.

—¿Pretendes hacerme creer que te gusta?

—Claro que me gusta. No todos los días uno puede pintar paredes de esta calidad.

Tom siguió pintando decididamente la barda. Esto hizo un efecto sorprendente en Ben. Su curiosidad era cada vez más grande y al fin lo venció.

—Tom, déjame pintar un rato.

—No, no puede ser. Mi tía es muy exigente.

—Anda, Tom, yo te dejaría si fuera mi valla. Lo haré con cuidado. Además, te daré mi manzana.

Tom accedió con un cierto desgano fingido y mientras el ex *Gran Misuri* trabajaba, el artista retirado pensaba cómo engatusar a más incautos.

Siguieron acercándose más muchachos que terminaban trabajando. Para la tarde, Tom ya había vendido todos los turnos y se encontraba nadando en la riqueza. Había pasado un día espléndido y con grata compañía. Descubrió pues, que para que una cosa sea deseada por los demás, sólo basta presentar algunas dificultades para conseguirla.

Capítulo III

TOM SE PRESENTÓ ANTE SU TÍA, quien se encontraba en su habitación en un estado soñoliento. Estaba completamente segura de que Tom había desertado de su trabajo ya, por eso se sorprendió al verlo.

—¿Puedo ir a jugar, tía?

—¿Tan pronto terminaste? —inquirió Polly.

Confiando poco en la palabra de su sobrino, se asomó por la ventana y muy satisfecha comprobó que el muro estaba perfectamente blanqueado, no sólo con una, sino con varias manos, e inclusive con una franja de color en la parte inferior.

—En mi vida lo hubiera creído —dijo Polly—. Cuando te da la gana sabes hacer las cosas. Está bien, puedes ir a jugar.

Pero antes de alejarse vio a Sid y recordó su promesa de venganza. Tom cogió una piedra y la arrojó hacia su hermanastro. Luego corrió y desapareció antes de que la tía Polly lo pudiera atrapar.

Recordó la necesidad de dirigir una importante batalla contra las huestes de Joe Harper, su gran amigo.

La batalla comenzó. Tanto Joe como Tom pensaban dirigir a sus tropas de una manera más refinada que estando presentes en las trincheras; por lo tanto, dirigían a sus ejércitos por medio de ayudantes de campo, mientras los dos generales observaban el combate desde una pequeña colina. Tom consiguió la victoria. Los prisioneros fueron liberados, los muertos regresaron a la vida, y se acordaron las reglas, así como fecha y hora, para el próximo combate.

Tom regresaba solo cuando en la casa de Jeff Thatcher vio a una linda criatura rubia. El héroe de tantas medallas sintió que perdía la batalla sin disparar una sola bala, y Amy Lawrence salió de su recuerdo inmediatamente. Había dedicado meses a la conquista de aquella niña, y durante siete días Tom fue la persona más feliz del mundo, mas ahora esto había terminado completamente.

Pasó frente a la casa de la bella niña y comenzó a hacer toda clase de visajes para llamar la atención de la pequeña. La niña no se volvió para verlo y se dirigió a su casa. Tom lanzó un suspiro desilusionado al verla alejarse; luego, la niña se detuvo y volteó para dejar caer una flor, asegurándose de que la viera el muchacho. Éste se echó a correr y miró a su alrededor. Se acercó y recogió la flor con los dedos de su pie desnudo. Con cuidado la guardó junto al corazón, o quizá al estómago, pues no era muy bueno para la anatomía.

Durante la comida estuvo muy inquieto. Fue reprendido por haber apedreado a Sid, cosa que no le importó, luego tuvo la osadía de tratar de robarse unos dulces en las barbas de su tía, por lo cual recibió un tremendo manazo.

—¿Por qué a Sid nunca le dices nada?

—Porque él no me atormenta como tú.

La tía se retiró a la cocina, y Sid, gozando de inmunidad, alardeó, y comenzó a jugar con la azucarera. Pero sucedió una desgracia. Un movimiento torpe bastó para tirarla al suelo y que se despedazara. Tom gozó con este accidente. Esperaba con ansia ver el regaño que le darían a Sid. No pensaba decir nada hasta que le preguntaran. Pero cuando estaba divirtiéndose más con lo sucedido, sintió otro fuerte manazo.

—¿Por qué me pegas? —protestó Tom—. Fue Sid.

—Bueno, de todas maneras, no te vendrá mal.

A Polly le remordió la conciencia y trató de disculparse, pero no podía satisfacer a Tom y admitir que se había equivocado. El chico exageraba sus penas. Se imaginaba moribundo y a su tía de rodillas pidiendo perdón. De tal modo exacerbaba sus sentimientos, que debía tragar saliva. Su placer era tan grande que no podía tolerar a nadie, así, al entrar su prima Mary, Tom se levantó y se marchó. Caminó por las orillas del río y cuando se cansó, se sentó a contemplar el movimiento de la corriente. Luego pensó si "ella" lo consolaría. Esto le proporcionó un delicioso sufrimiento. Como a las nueve y media, sus pasos lo llevaron frente a la casa de los Thatcher. Miró largo tiempo hacia la ventana de "ella" y luego se tendió en el suelo. Así moriría abandonado. Así lo vería "ella". Pero cuando estaba más emocionado, una ventana se abrió y un diluvio empapó el cadáver del mártir. El héroe, medio ahogado, incorporándose de un salto, se alejó corriendo.

Poco después estaba listo para dormir. Sid se despertó pero, al ver el disgusto de Tom, decidió callarse la boca y no decir nada.

Capítulo IV

Terminado el desayuno, la tía Polly preparó a los muchachos para las prácticas religiosas.

Tom trataba de aprender sus versículos. Sid ya lo había hecho desde un día antes. Tom se concentró desesperadamente en memorizar cinco de los más cortos. Después de media hora, el muchacho tenía un vaguísima idea de su lección. Mary tomó el libro y comenzó a preguntarle los versículos.

—Bienaventurados los...

—Pobres —dijo Mary.

—Sí, bienaventurados los pobres... éste...

—De espíritu.

—Porque de ellos será el reino de los cielos, porque...

El muchacho esperó la ayuda de Mary.

—Olvídalo Tom. No es por hacerte rabiar, pero debes estudiarlo de nuevo, y si lo haces bien te daré un regalo.

No le quedó a Tom otra cosa que estudiar otra vez, pues la curiosidad lo mataba. Obtuvo un buen resultado, y Mary le regaló una navaja "Barlow". No cortaba, pero era una "Barlow" después de todo. Tom estaba dispuesto a hacer más tajos en la mesa, cuando su tía lo llamó para ir a la misa dominical.

Momentos después, Tom estaba enfadosamente limpio, vestido con su traje azul de todos los domingos y peinado con los rizos pegados a la cabeza, pues pensaba que éstos eran cosa

de afeminados. Mary le pasó revista y vio que estaba bastante
presentable, pero recordó, para desgracia de Tom, que el niño
debía ponerse los zapatos.

Cuando los tres estuvieron listos, se dirigieron a la
escuela dominical. Su clase era de nueve a diez y media y después venía el sermón. Tom nunca asistía de buen grado, pero
tenía que hacerlo por justas razones. Al llegar, el chico vio a un
amigo también endomingado. Se acercó y le dijo:

—Oye, Bill. ¿Tienes un vale amarillo? ¿Cuánto quieres
por él?

Cuando se pusieron de acuerdo Tom salió en busca de
otros chicos y durante un cuarto de hora adquirió vales de di-
versos colores. Llegó el momento de recitar los versos y nadie
lo hizo perfectamente; por ello, los chicos fueron recompensa-
dos con vales azules. Diez azules equivalían a uno rojo, y diez
rojos a uno amarillo, y cuando un muchacho tenía diez vales
amarillos, el director le regalaba una Biblia.

Mary había obtenido dos en esa forma y un chico de origen alemán había ganado cinco por recitar tres mil versículos,
después de lo cual se convirtió en un completo idiota. Tom
siempre anheló un premio de ésos.

Al llegar el momento preciso, el director se colocó al frente del púlpito. El señor Walters era un hombre bien intenciona-
do. Así pues, inició su alocución:

—Niños, les pido que estén sentados tranquilamente y
pongan atención unos cuantos minutos. Quiero decirles que me
alegra verlos aquí, para que aprendan a ser buenos...

No es necesario repetir la plática, todos las conocemos.

Finalmente el discurso terminó. Todos lo agradecieron
guardando silencio. Poco antes del final del sermón habían en-
trado el abogado Thatcher, su esposa y su hija. Tom, en cuanto
vio que llegaba la niña intentó "quedar bien". Poco después se
otorgó a los visitantes el más encumbrado lugar de honor,
puesto que el recién llegado era un caballero muy importante:
el juez Thatcher.

Walters se lucía dando órdenes de un lado a otro. Luego,

El muchacho fue presentado al juez y no pudo hablar. El
señor Thatcher le dijo que era un hombrecito
de provecho.

todos alardeaban. Sólo faltaba una cosa para hacer completa la felicidad del director: premiar a un chico con la Biblia.

Algunos tenían unos cuantos vales amarillos, pero no los suficientes. Cuando había muerto toda esperanza, Tom se levantó y exigió el premio. Tenía nueve amarillos, nueve rojos y diez azules. Walters no lo esperaba de tal persona en los próximos veinticinco años. Tom fue premiado y llevado al lugar que ocupaba el juez y su esposa.

Los muchachos se morían de envidia. Habían contribuido para que Tom tuviera esa gloria cambiando sus riquezas obtenidas por permisos para blanquear la pared.

Era simplemente absurdo pensar que Tom hubiese aprendido dos mil versículos, pero Amy estaba orgullosa y trataba de hacérselo saber al chico.

El muchacho fue presentado al juez y no pudo hablar. El señor Thatcher le dijo que era un hombrecito de provecho.

—Bueno, Thomas Sawyer —dijo el juez—, dos mil versículos son muchos, y no te arrepentirás de ello. Tom, nos sentimos orgullosos de ti. ¿Quieres decirnos los nombres de los dos primeros discípulos de Jesús?

Tom no lo podía creer. Lo estaban examinando. Walters se preguntaba: "¿Por qué lo examinan? Es imposible que no conteste eso".

Tom miró al juez y a su esposa; sonrió y luego dijo:

—¡David y Goliat!

CAPÍTULO V

A LAS DIEZ Y MEDIA la campana comenzó a llamar a los fieles. La gente se reunió para el sermón. Polly llegó, y Tom, Sid y Mary se sentaron a su lado.

Entró después la viuda Douglas, generosa mujer cuya casa era el único palacio de los alrededores. Luego, el venerable comandante Ward y su esposa. Tras ellos, la belleza del pueblo seguida por una escolta de jóvenes. Y, al final, venía el chico modelo del pueblo, Willie Mufferson. Era tan bueno que todos los muchachos lo odiaban.

Reunidos los feligreses, comenzó el sermón. El pastor Sprague indicó el himno y lo entonó.

Una vez terminado, empezó a leer oficios y cosas diversas, parecía que la lista se alargaría hasta el día del juicio final.

Luego oró, y en su larguísima y aburridísima plegaria pidió hasta por el presidente.

Tom ya no soportaba más. Hacia la mitad de la oración, una mosca se posó cerca de él, sintió necesidad de atraparla, pero no se atrevía. Mas en el momento en que todos contestaron "amén", la mosca ya era prisionera de guerra.

El pastor tomó nuevas energías y prosiguió. Muchos fieles dormitaban. Tom contó las páginas del sermón. Siempre sabía cuántas habían sido, pero nunca algo más. Aunque ahora sí le llegó a interesar un poco cuando Sprague se refirió a que al terminar el milenio, el león y el cordero yacerían juntos

*...un perro descubrió el escarabajo. Observó a su presa
y comenzó a tirarle dentelladas.*

y serían guiados por un niño. Tom divagó y pensó que él podría ser el tan afortunado niño. Después pensó que sería mejor si el león estuviera domado.

Luego cayó en aburrido sufrimiento al proseguir el sermón. Recordó que llevaba su escarabajo. Lo sacó de su cajita de cerillos. Lo primero que hizo el insecto fue prendérsele de un dedo. El niño estuvo a punto de maldecir, pero se contuvo. Luego soltó un manotazo que hizo volar al animalejo y caer boca arriba. Tom ansiaba apoderarse de él, pero estaba fuera de su alcance. En aquel momento, un perro descubrió el escarabajo. Observó a su presa y comenzó a tirarle dentelladas. Después de algunos intentos, se tendió con el insecto entre las patas. De pronto, el cansancio hizo que el perro se durmiera olvidando por completo su presa... ¡y se sentó sobre ella! Surgió un chillido. El perro salió disparado. Los aullidos resonaron en toda la iglesia. Su dueño fue por él, se lo llevó y el alarido se perdió en la lejanía.

Después de esto, el sermón se había atascado y no terminaba. Cuando el pastor finalmente dio la bendición, todos se sintieron aliviados.

Tom regresó feliz a su casa, pensaba que si las misas tuvieran un poco de variedad, no serían tan aburridas.

Sólo le molestaba el hecho de que el perro hubiera maltratado a su escarabajo. No le importaba que jugara con él, pero sí que se lo llevara.

CAPÍTULO VI

E L LUNES POR LA MAÑANA, Tom estaba profundamente abatido. Empezaba el sufrimiento de la escuela. Tom, buscaba un pretexto para no ir y se le ocurrió estar enfermo. Pasó lista a su organismo y no encontró ninguna enfermedad. Después, hizo un feliz descubrimiento: un diente se le movía. Al fin tenía su excusa. Después pensó en que su tía se lo arrancaría y, además del dolor que le causaría, lo mandaría a la escuela. Buscó otra enfermedad. Nada se le ocurrió, hasta que recordó haber oído a un médico decir que tenía un paciente a quien su dedo del pie no lo había dejado caminar durante tres semanas. El muchacho sacó de inmediato su pie y comenzó a examinarlo. No conocía los síntomas, pero había que intentarlo y empezó a gritar quejándose de dolor.

Actuaba tan bien, que se le figuró empezar a sentir realmente dolor.

Tom estaba ya jadeante, así que descansó, se hinchó de aire y luego lanzó otra increíble serie de alaridos. Tom se sentía cada vez más indignado al ver que Sid no despertaba. Desesperado, lo sacudió y lo llamó. Sid se despertó. Tom siguió llorando y su hermanastro le dijo:

—¡Oye, Tom! ¿Qué te sucede? —lo sacudió y lo miró a la cara—. ¡Contéstame!

—¡No, Sid! ¡No me sacudas! —gemía Tom con voz entrecortada—. ¡No me muevas así, que me puedo morir!

—Espera, Tom, llamaré a tía Polly. ¿Hace cuánto estás con esta enfermedad?

—¡No me muevas que me matas! Sid, te perdono todo lo que me has hecho. Cuando me muera...

—¡Oh, Tom!, no te estás muriendo, ¿verdad? —y de inmediato bajó a buscar a la tía Polly.

Tom ahora sí sufría. Sus quejidos habían adquirido un tono genuino.

—¡Tía Polly! ¡Tom se muere!

—¿Cómo que se muere?, ¡pamplinas!

Pero voló escaleras arriba.

—Tom, ¿qué te pasa?

—¡Oh, tía, el dedo del pie me está matando!

La anciana sonrió y luego dijo:

—¡Tom, qué susto me has dado! ¡Ahora, levántate!

Los gemidos desaparecieron y el dolor cesó.

—Tía, me dolía tanto mi dedo que olvidé mi diente. Tengo uno flojo y me duele mucho.

—¡Vamos! No empieces con eso otra vez. Abre la boca. Mary, tráeme un hilo y un tizón encendido.

—Por favor, no me lo saques —dijo Tom—, ya no me duele. Es sólo que no quería ir a la escuela.

—¿De modo que todo esto fue para no ir a la escuela?

Para entonces, Tom ya tenía amarrado el diente, y poco después éste ya colgaba del hilo.

Todas las penas tienen su compensación. En la escuela Tom fue la envidia de todos sus compañeros: el hueco que le dejó el diente le permitía escupir de una manera diferente.

Poco después se encontró con el paria infantil del pueblo: Huckleberry Finn.

Huckleberry era odiado por las madres del lugar, porque era holgazán y desobediente. Sus hijos lo admiraban y deseaban ser como él. Tom también lo envidiaba y jugaba con él cuando tenía oportunidad. Huckleberry se vestía siempre con harapos, pues era hijo del borracho del pueblo. Hucky iba y venía, dormía en los quicios de las puertas, no iba a la escuela;

nadie le impedía pelearse, andar sin zapatos, ni estar sucio. En fin, este chico tenía todo eso que hace la vida apetecible.

Tom saludó al romántico proscrito.

—Hola, Hucky, ¿qué tienes allí?

—Un gato muerto.

—Déjame verlo. Está tieso. ¿En dónde lo encontraste?

—Se lo cambié a un muchacho por una vejiga que me dieron en el matadero.

—Dime, ¿para qué sirven los gatos muertos?

—Para curar verrugas.

—Bueno, el agua de yesca es mejor.

—No lo creo. Bob Tanner me dijo que lo intentó y no resultó lo que él esperaba.

—Es que no dijo nada, y eso es una idiotez. Tienes que ir al bosque solo, a medianoche meter la mano en un tronco y decir tres veces: *¡Tomates, tomates y lechugas: agua de yesca, agua de yesca, quítenme las verrugas!* Y luego, dar once pasos con los ojos cerrados, tres vueltas y marcharte a casa sin hablar con nadie; si no, se rompe el hechizo.

—Bueno, me parece un buen remedio, pero Bob no lo hizo así —replicó Huckleberry.

—Puedes apostar a que no. Así me he quitado miles de verrugas. Juego tanto con ranas que me salen a montones. A veces me las quito con habas.

—Sí, son buenas las habas.

—Pero dime, Hucky, ¿cómo se quitan las verrugas con un gato muerto?

Bajando la voz, Hucky dio a conocer el procedimiento:

—Tomas al gato y vas al cementerio, cerca de la tumba de un bandido. Después viene un diablo o hasta tres, y cuando se estén llevando al enterrado, les tiras el gato y dices: *Diablo, sigue al difunto; gato, sigue al diablo; verrugas, sigan al gato.* Y las verrugas desaparecen. Esto me lo dijo la tía Hopkins, la vieja bruja. Ella embrujó a mi papá.

—Bueno, entonces debe ser cierto. Pero dime, Hucky, ¿cuándo vas a probar con ese gato?

—Hola, Hucky, ¿qué tienes allí?
—Un gato muerto.

—Esta noche, apuesto a que vendrán a llevarse a Hoss.

—¿Me dejarás ir contigo? —preguntó Tom.

—Por supuesto, si no tienes miedo.

—Claro que no. ¿Maullarás?

—Sí, y tú me contestas con otro maullido. La última vez estuve maullando hasta que me aventaron agua, y yo les lancé un ladrillo.

—Aquella noche no pude salir porque mi tía me vigilaba. Oye, Hucky, ¿qué es esto?

—Una garrapata.

—¿Cuánto quieres por ella?

—No sé, no quiero deshacerme de ella.

—Está bien, hay muchas y puedo tener las que quiera.

Después de un momento de meditación, Tom volvió a preguntar.

—Y si te doy mi diente, ¿me la darías?

—Bueno, trato hecho.

Tom encerró a la garrapata en la caja del escarabajo y ambos muchachos se despidieron.

Cuando Tom llegó a la escuela, la clase había empezado. El maestro dormitaba y el niño trató de pasar inadvertido, pero no pudo. El maestro rugió:

—Tom Sawyer, venga. ¿Por qué llega tan tarde?

Tom pensó en mentir como de costumbre, pero vio a la bella niña y dijo:

—Me entretuve con Huckleberry Finn.

El maestro se quedó paralizado. Los muchachos se preguntaban si Tom estaría cuerdo.

—Ésta es la confesión más pasmosa que he oído.

El profesor se dirigió hacia el chico y lo golpeó hasta cansarse. Luego le ordenó sentarse con las niñas.

La situación pareció apenar a Tom, pero realmente su vergüenza desapareció con el placer que le causaba su buena suerte. Se sentaría junto a Becky, la recién llegada.

Durante largo tiempo, Tom trató de llamar la atención de la niña, sin conseguirlo. Después de un rato comenzó a dibujar algo en su pizarra sin dejar que Becky lo viese. Finalmente, la curiosidad de la pequeña, le hizo pedir que la dejara ver el dibujo. Tom se lo mostró. Era una casa. La niña le dijo que dibujara a un hombre y a una mujer. Cuando Tom lo hizo, la niña exclamó:

—¡Qué bonito! Ojalá yo pudiera pintar así.

—Yo te enseñaré. ¿Cómo te llamas?

—Becky Thatcher, ¿y tú? Ah, sí, Tom Sawyer.

Luego, el muchacho escribió algo en su pizarra sin que la niña pudiera verlo. Cuando ella lo descubrió, se puso colorada y pareció complacida. Eran estas palabras: *Te quiero*.

En ese momento, Tom sintió un fuerte pellizco y lo levantaron de una oreja para llevarlo a su pupitre.

Tom trató de estudiar, pero no pudo. Cuando llegó el momento de leer en voz alta, fue un desastre. En geografía no fue mejor y lo peor llegó cuando en la clase de escritura tuvo que entregar la medalla que había ostentado durante meses y que, por sus innumerables faltas, perdió siendo rebajado de categoría.

Capítulo VII

MIENTRAS MÁS DESEABA Tom concentrarse en el libro, más divagaba. Le parecía que la salida de mediodía no llegaría nunca. Era el día más caluroso de la canícula. Tom ansiaba verse libre o hacer algo interesante para pasar esa tediosa hora. Su rostro se iluminó cuando encontró la caja de los fósforos. Liberó a la garrapáta y la puso sobre su pupitre. El animal emprendió un largo viaje, Tom lo desvió continuamente de su camino con un alfiler. Joe Harper se encontraba sentado junto al propietario del animalejo y estaba tan aburrido como él; así, cuando vio aquel entretenimiento, sintió un gran alivio. Ambos muchachos eran uña y carne. Joe sacó un alfiler e hizo ejercitar a la prisionera al igual que su amigo. Al poco tiempo, al ver Tom que se estaban estorbando mutuamente, trazó una línea a la mitad del pupitre y propuso:

—Ahora, si la garrapata está de tu lado, tú podrás jugar con ella y no me meteré; y si pasa a mi lado, tú no te meterás.

Los dos estuvieron de acuerdo y Tom empezó a jugar. Rápidamente la garrapata se escapó y cruzó la línea divisoria.

La suerte parecía inclinarse al lado de Joe. El insecto trataba de cruzar la línea divisoria y cuando Tom ya sentía la victoria, el alfiler de Joe hacía cambiar de dirección al animal. Llegó un momento en el que Tom ya no resistió más. Alargó la mano y empezó a azuzar a la garrapata. Joe se enojó y dijo:

—Déjala, Tom, es mi turno.

—Nada más quiero manejarla un momento.

—No la toques, está de mi lado.

—Oye, Joe, ¿de quién es la garrapata?

—No me importa de quién sea. Está en mi lado.

—Te apuesto a que hago lo que quiera con ella.

De pronto, a la mitad de la discusión, cayó un par de golpes sobre las espaldas de Tom y Joe. Durante unos momentos siguió saliendo polvo de sus sacos. Los muchachos no se dieron cuenta cuando el maestro se paró detrás de ellos. Al terminar la clase, Tom se dirigió a Becky.

—Di que vas a tu casa. Al llegar a la esquina das la vuelta y nos vemos aquí.

Ambos se fueron con sus compañeros y regresaron a la escuela tal como lo habían acordado. Se sentaron juntos y Tom dio a Becky su primera lección de pintura. Cuando perdieron el interés en el arte, comenzaron a charlar.

—¿Te gustan las ratas? —preguntó Tom.

—No. Las aborrezco.

—Bueno, yo también... Cuando están vivas. Pero me refiero a las muertas.

—No, de cualquier modo son horribles. Lo que me encanta es masticar goma.

—¡Por supuesto, es deliciosa! ¡Ojalá tuviera! ¿Has ido al circo alguna vez?

—Sí, y mi papá me llevará otra vez, si me porto bien.

—Yo he ido tres o cuatro veces. La iglesia no vale nada al lado del circo. Seré payaso cuando sea grande.

—¿De veras? ¡Qué bien!

—Sí, así es. Y ganan montones de dinero. Oye, Becky, ¿has estado comprometida para casarte?

—No, ¿qué es eso?

—Simplemente le dices a un chico que no vas a querer a nadie más que a él. Y luego se besan y ya está.

—¿Besar? ¿Para qué?

—Pues, sabes, siempre se hace eso. ¿Te acuerdas de lo que te escribí en la pizarra?

—Sí, pero no te lo diré.

—¿Te lo digo yo a ti?

—Sí, pero en otra ocasión.

—Te lo voy a decir, pero en voz baja.

Becky vaciló y Tom, tomando el silencio como asentimiento, murmuró suavemente aquellas palabras y luego añadió:

—Ahora tú me lo dices a mí.

Después de resistirse un momento, la niña dijo: *Te quiero*. Luego salió corriendo entre los bancos, perseguida por Tom.

—Ahora ya está hecho, menos lo del beso.

Becky poco a poco cedió y besó a Tom.

—No podrás ser novia de nadie y deberás casarte conmigo.

—De acuerdo.

—Siempre te acompañaré a la escuela o cuando regreses a tu casa. ¡Es tan divertido! ¡Si supieras lo que Amy y yo...!

Entonces Tom se dio cuenta de la torpeza que había cometido y trató de enmendarla.

—¡Oh, Tom! ¡Entonces yo no soy tu primera novia!

Tom trató inútilmente de que Becky olvidara lo que había dicho, el orgullo se le alborotó y salió de la escuela. Poco después pensó que había actuado erróneamente y se sintió mal. Tom tuvo remordimientos y regresó al lado de la niña diciendo:

—Becky... nadie me importa sino tú.

No hubo respuesta. Tom sacó entonces su más preciado tesoro: una esfera de latón y se la ofreció a la pequeña. Becky rechazó el regalo; esto no lo soportó Tom y abandonó la escuela dirigiéndose a las colinas. Ese día no volvió a clases.

Capítulo VIII

TOM SE ESCAPÓ POR LAS CALLEJAS y cruzó dos o tres veces un arroyuelo, porque se había hecho creencia, entre los muchachos, que esto desorientaba a los perseguidores. Se metió en un denso bosque y cuando estuvo en el centro, se sentó en un tronco caído. El alma del chico rebosaba melancolía. Meditó durante largo rato. Le parecía que la vida no tenía sentido y casi envidiaba a Jimmy, quien hacía poco se había librado de ella. Pensaba que, en cuanto a Becky, él no había hecho nada y se sentía como un perro. Algún día se arrepentiría ella... quizás cuando fuera demasiado tarde. ¡Si pudiera morirse por algunos días!

Tom empezó a preocuparse nuevamente. ¿Qué pasaría si desapareciera misteriosamente? Se le ocurrió ser payaso, pero rechazó esta idea con disgusto. Mejor sería soldado y regresaría después de muchos años inválido y glorioso. No, mejor aún: se volvería indio y después de mucho tiempo regresaría convertido en un gran jefe, se plantaría en la escuela dominical lanzando un escalofriante grito de guerra y haría morir de envidia a sus compañeros. Pero no; ¡sería pirata! Su nombre llenaría al mundo, su bandera ondearía gloriosamente en el mástil de su barco, el *Genio de la Tempestad*. Cuando fuera más famoso, aparecería en la iglesia con su cinto lleno de pistolas, el machete tinto en sangre y escucharía a los chicos decir: "Es Tom, el pirata, el Vengador Negro de la América Española". Estaba resuelto: huiría de su casa y se lanzaría a la aventura. Avanzó hasta un tronco caído y empezó a excavar con su "Barlow". Cuando sonó a hueco, lanzó este conjuro:

—*Lo que no está aquí que venga. Lo que esté aquí que se multiplique y se quede.*

Después hizo a un lado la tierra y aparecieron sus tesoros. Había sólo una canica, el asombro de Tom no tuvo límites.

—En mi vida vi cosa tan rara.

Arrojó la canica con gran enojo. La verdad era que había fallado su hechizo. Si uno enterraba una canica con ciertos conjuros y la dejaba ahí algún tiempo y luego regresaba a ese lugar, se encontraría todas las canicas que había perdido antes. No podía explicarse qué hubiera fallado. No pensó que él mismo había hecho la prueba muchas veces, y jamás había encontrado en el escondite sus tesoros. Meditó un poco y se asustó; una bruja debió romper el encanto, así que se echó al suelo, se acercó al lugar donde enterró las canicas y dijo:

—*¡Chinche, chinche holgazana, dime lo que quiero saber!*

De la tierra salió una chinche y luego volvió a ocultarse asustada. No había duda para él, una bruja había roto el hechizo. Sabía la inutilidad de discutir con brujas, de modo que pensó no perder la canica que había arrojado. Se le ocurrió otro conjuro y regresó al escondite de tesoros. Sacó una canica más y la arrojó en dirección de la anterior diciendo:

—*Hermana, busca a tu hermana.*

Repitió dos veces el experimento y finalmente encontró la otra canica.

En ese momento oyó que alguien se acercaba, corrió a esconderse y dijo en voz baja... a una compañía imaginaria:

—¡Alto mis valientes! ¡No se muevan hasta que dé la orden!

Entonces apareció Joe, tan tremendamente armado como Tom, quien gritó:

—¿Quién entra a Sherwood sin mi permiso?

—Guy de Guisborne. ¿Quién eres?

—Soy Robin Hood, como lo sabrás cuando te despelleje.

—¿El famoso bandolero? Bueno, defiéndete.

Echaron mano a sus espadas y empezaron el combate.

Echaron mano a sus espadas y empezaron el combate. Tom gritaba:

—¡Cae, cae!, ¿por qué no te caes?

—¡Porque no me da la gana! ¡Cáete tú! Tú vas perdiendo.

—Eso no tiene nada que ver. Yo no puedo morir, lo dice el libro: "Entonces con una estocada traicionera mató a Guisborne". Debes volverte para que te toque en la espalda.

Joe no podía discutir con ese poderoso argumento, así que recibió la estocada.

—Ahora tienes que dejar que yo te mate.

—Pero no puedo hacer eso. No viene en el libro; pero, puedes ser el padre Tuck, o yo seré el alguacil de Nottingham y tú, Robin.

Eso era aceptable y jugaron un rato. Luego Tom volvió a ser Robin y murió traicionado por la monja, y al fin Joe pudo representar el momento cumbre de la obra arrastrando al bandolero en medio de su tribu; entonces Tom exclamó:

—"Donde caiga esta flecha, que entierren a Robin Hood."

Los muchachos terminaron de jugar, lamentando que ya no hubiera bandoleros como ésos. Y se dijeron que preferían ser bandidos veinte minutos, que presidente de los Estados Unidos durante un año.

Capítulo IX

ESA NOCHE, TOM Y SID fueron enviados a la cama. Sid se durmió rápidamente, pero Tom permaneció despierto. Poco a poco llegó la quietud. Sin duda los espíritus estaban sueltos. Tom oyó el roer de una rata y se estremeció; significaba que los días de alguien estaban contados. El reloj dio las once y llegó hasta Tom un leve maullido y el estallido de una botella, acompañados de una maldición. Un minuto después saltó por la ventana y maulló una o dos veces por precaución. Huckleberry lo esperaba con el gato muerto. Ambos se pusieron en marcha y, al poco tiempo, estaban en el cementerio. Una leve brisa susurraba en los árboles, y Tom temía que fueran las ánimas de los muertos. Encontraron, al fin, la lápida que buscaban. Esperaron durante un tiempo. Los pensamientos de Tom se hacían angustiosos. Ambos chicos tenían que hablar de algo.

—Hucky, ¿crees que a los muertos les guste que estemos en donde reposan?

—Así lo creo.

—Oye, Hucky, ¿crees que Hoss nos escuche?

—¡Por supuesto! Al menos, nos oye su espíritu.

De pronto, Tom tomó el brazo de su compañero y dijo:

—¡Chitón!

—¿Qué sucede, Tom?

—¡Chitón!... ¿No lo oyes?

—¡Dios mío, Tom! Seguro que ahí vienen.

—¿Qué hacemos?

—No tengas miedo, a nadie estamos haciendo daño.

Alargaron el cuello casi sin respirar, un rumor llegaba desde el otro lado del cementerio.

—¡Mira!

—Es un fuego fatuo. ¡Qué miedo tengo, Tom!

Unas vagas figuras se acercaban entre las sombras, balanceando una linterna.

—Tom, no son los demonios. Éste es nuestro fin.

—¿Qué pasa, Hucky?

—Son seres humanos. Uno es Muff Potter. Lo conozco bien, está bebido y es demasiado bruto para vernos, el otro es Joe, el indio.

—Es cierto —dijo Tom—, ese mestizo es un asesino, preferiría que fuera el diablo.

Los tres hombres se acercaron y pasaron junto a los azorados muchachos.

—Aquí es —dijo la tercera voz.

Potter y Joe empezaron a cavar en la sepultura. El otro era el doctor del pueblo.

—De prisa. La luna puede salir en cualquier momento.

Durante un largo rato no se escuchaba más sonido que el de palas y tierra. Finalmente, los dos hombres extrajeron el féretro, lo forzaron y sacaron el cuerpo. Cogieron la parihuela y pusieron el cuerpo encima, cubriéndolo con una manta.

—Ya está, matasanos; ahora dénos otros cinco dólares.

—¿Qué quiere decir con eso? —respondió el médico.

—Si no acepta, aquí se queda el cuerpo.

El doctor le dio un puñetazo a Joe, dejándolo tendido en el suelo. Potter sacó su navaja y exclamó:

—No le pegue a mi socio.

Un momento después estaban luchando fieramente el médico y Potter.

Joe recogió la navaja. El médico, que se había deshecho de su adversario, tomó un tablón y soltó un golpe que dejó inconsciente a Potter. En ese momento Joe clavó la navaja en el pecho del facultativo. Los dos muchachos, que habían presenciado toda la escena, salieron corriendo.

Joe se puso al pie de los dos hombres y registró al muerto, robándole lo que llevaba. Colocó la navaja en la mano de Potter y esperó a que despertara.

—¡Por Dios! —dijo Potter cuando despertó—, ¿qué sucedió? No recuerdo nada.

—Mal negocio —dijo Joe—. ¿Por qué lo hiciste?

—Yo creí que se me había pasado la borrachera. No quise hacerlo. ¿Cómo fue?

—¡Vaya!, lo atolondrado no se te quita. Lo agarraste a golpes y él te sorprendió con el tablón, al caer tomaste el cuchillo y se lo clavaste en el pecho cuando él te golpeó en la cabeza otra vez.

—¡No digas nada!, tú siempre fuiste un gran amigo.

—No diré nada; siempre te has portado bien conmigo.

Los bandidos escaparon por diferentes caminos, y el mestizo pensaba que su compañero estaba tan atolondrado que no se acordaría de recoger su navaja y después le daría miedo volver a buscarla.

Capítulo X

Tom y Hucky corrieron al pueblo. Miraron hacia atrás recelosamente, temiendo que los persiguieran.

—Si sólo pudiéramos llegar a la vieja tenería antes de sentirnos fatigados.

La única respuesta que tuvo Tom fue el fatigoso jadear de Hucky. Al llegar a la meta, ambos se precipitaron a su interior. Tom se dirigió a su compañero.

—Hucky, ¿en qué crees que acabará esto?

—Si el doctor Robinson muere, creo que el indio irá a la horca directamente.

—¿Y quién lo dirá? ¿Nosotros?

—¿De qué estás hablando? Si lo hacemos y no ahorcan a Joe, él nos matará tarde o temprano. Si alguien lo dice, que sea Muff Potter, es bastante tonto y siempre está borracho.

Tom pensó por un momento y luego murmuró:

—Muff no lo sabe porque recibió un golpe en la cabeza antes de que Joe matara al médico.

—Tienes razón.

Después de otro reflexivo silencio, dijo Tom:

—Hucky, ¿estás seguro de que no hablarás?

—Tom, debemos cerrar la boca, a ese maldito indio no le importaría matarnos. Debemos hacer un juramento. Pero no como los que haces a las chicas, eso no vale. Tiene que ser escrito con sangre.

Nada más podía ser tan agradable para Tom. Era misterioso y terrible. Alzó una tablilla que estaba en el suelo, sacó un tejo del bolsillo y escribió las siguientes líneas:

"Hucky Finn y Tom Sawyer juran no decir nada y que, si dicen algo, caigan muertos y perezcan."

Hucky sentía admiración por la facilidad con que Tom escribía y por la sublimidad de su lenguaje. Sacó un alfiler y se dispuso a pincharse un dedo cuando Tom dijo:

—¡Espera! Los alfileres pueden tener verdín.

—¿Qué significa eso?

—Es veneno. No tienes más que tragar un poco y verás.

Tom sacó una de sus agujas y se pincharon la yema del pulgar y trabajosamente firmaron con sus iniciales: TS y HF. Enterraron la tablilla con lúgubres ceremonias y consideraron cerrado el juramento.

Durante un rato hablaron en voz baja. De pronto, un perro lanzó un largo aullido.

—¿Por cuál de los dos será, Tom?

—No te preocupes, Hucky, conozco el ladrido.

De nuevo aulló el perro.

—Ése no es el *Bull Harbison** que tú dices, Tom.

Tom, tiritando de miedo, asomó el ojo por una rendija y murmuró:

—¡Ay, Hucky!, es un perro sin dueño. Debe ser por los dos, puesto que estamos juntos.

—¡Caray, Tom!, podemos darnos por muertos y sé adónde iré yo.

—Esto nos pasa por no haber ido a la escuela. Podría haber sido como Sid. Pero si salgo de ésta, te prometo que me indigestaré de escuelas dominicales.

—¡Tú no eres malo, Tom! ¡Vamos! Si yo tuviera la mitad de tus oportunidades...

—¡Mira, Hucky! —dijo Tom recuperando el habla—, está de espaldas a nosotros. ¡Qué idiota soy!

* Bull Harbison, se refiere a un perro *bull* propiedad del señor Harbison.

Cesó el aullido. Los muchachos escucharon el ronquido de alguien, no sabían quién podía ser. Así pues, el espíritu aventurero despertó en ellos una vez más. Pero éste decayó cuando pensaron que podría ser Joe, el indio. La tentación era demasiada y decidieron investigar. Cuando estuvieron a cinco pasos del roncador, la luz iluminó su rostro. Los muchachos se paralizaron. Era Muff Potter. Cautelosamente dieron la vuelta y retrocedieron. Vieron angustiosamente que el perro estaba echado junto a Potter.

—¡Es por él! —exclamaron los muchachos al mismo tiempo.

—Oye, Tom, dicen que un perro sin dueño aulló en la casa de Johnny Miller y no ha muerto.

—Sí, ya lo sé. Pero Gracia Miller cayó en el fuego de la cocina y sufrió quemaduras horribles.

—Pero, no ha muerto.

—Está bien, pero ésa se muere; tan seguro como que se muere Muff Potter.

Cuando Tom llegó a su casa, la noche casi había llegado a su fin. No sabía que Sid había estado despierto desde una hora antes, aguardándolo.

Al levantarse, Tom quedó sorprendido. Sid se había marchado. ¿Por qué no lo había despertado? Esto le trajo fatídicos presagios. La familia no había terminado el desayuno. Nadie le dirigió una palabra de reproche. Se sentó y trató de parecer alegre, sin conseguirlo. Al terminar de desayunar, su tía lo llevó aparte y se alegró, pues tenía la esperanza de que lo azotaría, pero no fue así; sólo le soltó una perorata acerca de que no tenía caso seguirlo corrigiendo. Esto era peor que mil palizas. Pidió perdón y sintió que sólo estaba disculpado a medias. Lo afligió tanto su tía, que ni siquiera tuvo deseos de venganza contra Sid.

Acudió a la escuela y soportó heroicamente una paliza junto con Joe, por no haber asistido el día anterior.

Luego, se dirigió a su pupitre y encontró algo envuelto. Rompió el papel y vio que era el tesoro que Becky había rechazado. Esto fue la gota que derramó el vaso.

CAPÍTULO XI

AL OTRO DÍA, todo el pueblo fue sorprendido por una horrible noticia. La escuela cerró sus puertas. Habían encontrado junto a la víctima, la navaja de Potter. Se descubrió a Muff lavándose a la una de la madrugada y éste, inmediatamente, había huido. Todo el lugar había sido registrado para encontrar al asesino, sin resultado. La gente se dirigió al cementerio y Tom se había unido a la procesión a causa de una inexplicable fascinación. Cuando llegó al lugar, contempló el espectáculo y de pronto sintió un fuerte pellizco, volteó la vista y descubrió a Hucky.

—¡Pobre muchacho! ¡Que sirva de ejemplo para los violadores de tumbas! Si atrapan a Muff lo ahorcarán.

Éstos eran los comentarios del pueblo. Tom se estremeció al ver el rostro impasible de Joe, el indio. De pronto la multitud se alborotó al ver que Potter caminaba hacia ellos y venía solo. Cuando éste escuchó su nombre se detuvo. Una vez que lo atraparon, dijeron que no había opuesto resistencia y que estaba perplejo ante las acusaciones.

El comisario se abrió paso entre la muchedumbre y condujo al pobre Potter hasta el cuerpo del doctor. Al verlo, Muff comenzó a llorar.

—No lo hice yo, vecinos —dijo sollozando—. Joe, anda, diles que yo... —y ya no pudo continuar.

—¿Ésta es tu navaja? —preguntó el comisario.

—Ya sabía, que si no regresaba por ella estaría en problemas —y con ademán vencido dijo—: Díselos Joe.

Hucky y Tom se quedaron mudos al ver al desalmado Joe, que declaraba serenamente inculpando a su socio. Los chicos esperaban que el cielo se abriera y cayera un rayo sobre el indio y lo partiera en dos. Cuando vieron que seguía vivo, trataron de romper el juramento y salvar la vida del prisionero, mas no pudieron. Preguntaron al desdichado Potter por qué no había escapado, a lo que contestó que no podía.

Joe, bajo juramento, ratificó su anterior declaración. Y como los rayos seguían sin caer, Tom y Hucky supieron que el mestizo había vendido su alma al diablo. Joe pasó a ser el objeto más misterioso para los chicos. Decidieron vigilarlo para tratar de descubrir a su diabólico señor.

Durante una semana, el remordimiento de conciencia perturbó el sueño de Tom.

—Tom, das tantas vueltas y hablas tanto mientras duermes, que me tienes despierto la mitad de la noche —dijo Sid, un día durante el desayuno.

Tom palideció y tembló tanto, que vertió el café sobre el mantel de la mesa.

—Y dices cada cosa... —prosiguió Sid—. Anoche dijiste: "¡Es sangre!" Y lo repetiste una y otra vez. También dijiste: "¡Yo lo diré!" ¿Dirás qué?

A Tom se le revolvió el estómago y, cuando peor se sentía, la tía Polly vino en su ayuda:

—Fue un crimen atroz. También yo sueño con él casi todas las noches, a veces despierto en la madrugada.

Mary dijo que a ella le pasaba lo mismo, y con esto se satisfizo la curiosidad de Sid. Tom se escabulló sin despertar sospechas, y luego se quejó de dolor de muelas durante una semana y se ató las mandíbulas con un pañuelo.

Pronto pasó la preocupación de Tom, y con ello el dolor de muelas. Si Sid sospechó algo, fue lo suficientemente listo para no decirlo. A Tom le parecía absurdo que sus compañeros no jugaran a otra cosa que a las "encuestas" con gatos muertos.

Sid notó que Tom nunca la hacía de *forense* o de *testigo* y siempre evitaba esos juegos. Por fortuna, las encuestas pasaron de moda.

Cada tercer día buscaba la ocasión de llegar hasta la ventana de la prisión y dar regalos al "asesino". La cárcel era una miserable casucha de ladrillos y no había nadie que la vigilara, pues nunca estaba ocupada. Estos obsequios contribuían a aliviar la conciencia de Tom. La gente sentía ganas de sacar a Joe del pueblo, por violador de tumbas, pero nadie tenía las agallas para hacerlo, así pues, se desistió del asunto.

Capítulo XII

UNA DE LAS RAZONES por las cuales Tom abandonó sus preocupaciones fue que Becky dejó de asistir a la escuela. El chico luchó contra su amor propio, pero acabó por doblar las manos y cuando se dio cuenta, estaba rondando la casa de los Thatcher por la noche, sintiendo una gran pena. ¿Y si se muere? Esta idea era estremecedora. Ahora, ya no le interesaba la guerra ni la piratería. Su tía, preocupada, trató con toda clase de medicamentos. Polly era una de esas personas que tienen la manía de curar a cuanto enfermo encuentran. En cuanto sabía de una nueva medicina ardía en deseos de probarla en alguno de sus pacientes.

Estaba suscrita a toda revista relacionada con la salud. Reunía todos los medicamentos charlatanescos y así se armaba en contra de la muerte e iba de un lado a otro llevando consigo una diabólica farmacopea.

El tratamiento con agua era nuevo en esa época, así que la debilidad de Tom fue un don de la Providencia para ella. Todas las mañanas lo ahogaba con un diluvio de agua helada. Luego, lo enrollaba en una sábana mojada y lo hacía sudar hasta sacar la última mancha en su alma.

Sin embargo, el chico seguía cada vez más decaído. Trató de hacerlo reaccionar con una dieta de sopas ligeras y calculó su cabida como si fuera un barril.

Todo era inútil. Tom continuaba muy indiferente. La tía

Polly precisaba acabar con esa melancolía y fue cuando oyó hablar por primera vez del "Matadolores".

Este remedio era fuego líquido. Dio a Tom una cucharada, y sus preocupaciones se acabaron. La "indiferencia" de Tom se hizo añicos. El chico sintió que ya era hora de volver a las andadas, y meditó varios planes. Se le ocurrió fingir que le gustaba el "Matadolores" y lo pedía a menudo. Pero jamás lo probaba, simplemente lo tiraba por una rendija de la alacena. Un día, cuando estaba por administrar su ración diaria a la grieta, vio que Perico, el gato amarillo de su tía, se acercaba ronroneando.

—Perico, no me lo pidas a menos que lo necesites.

Perico estaba seguro de necesitarlo, así que el muchacho ante la insistencia del minino, dijo:

—Puesto que tú lo quieres, te lo daré para que no pienses que es tacañería.

Tom le abrió el hocico y vertió el "Matadolores". El gato saltó, corrió por toda la habitación, chocó con un par de sillas y luego saltó por la ventana. Polly entró a la habitación en el momento justo en que el gato ejecutaba varios saltos mortales y vio a Tom tendido en el suelo muerto de risa.

—Tom, ¿qué sucede aquí? Nunca vi cosa igual. ¿Qué le hiciste a ese gato?

—Nada, tía, no le hice nada, los gatos se ponen así cuando están muy contentos.

Polly pudo observar que la cuchara delatora estaba tirada debajo de la cama. Tom, al darse cuenta, trató de escabullirse, pero ya era demasiado tarde para hacerlo. La tía lo había atrapado por la oreja y luego le dio un manazo en la cabeza.

—Ahora, dime, ¿por qué tratas así a ese pobre animal?

—Lo hice por lástima, el pobre no tiene tías.

—¿Cómo que no tiene tías? Idiota, ¿qué tienen que ver las tías con tus travesuras?

—Mucho, porque si tuviera una tía, ella le hubiera dado el "Matadolores".

La tía Polly sintió remordimientos al darse cuenta que Tom sufría lo mismo, cada vez que tomaba el remedio.

*El gato saltó, corrió por toda la habitación, chocó
con un par de sillas y luego saltó por la ventana.*

—Todo lo hice con buena intención —dijo la tía.

—Ya lo sé, lo mismo me pasó con Perico, también le hizo mucho bien a él. Nunca lo vi saltar con tanta agilidad.

Tom, al llegar a la escuela, se quedó en el patio, en vez de jugar con sus amigos. Se sentía enfermo. Al rato apareció Joe Harper, y su rostro se iluminó. Cuando se acercó Jeff Thatcher, Tom trató de hacerlo hablar de Becky, pero no dio resultado. El chico se sintió peor. Cuando pensó que la niña no llegaría a la escuela se sentó a solas para sufrir. De pronto, Becky entró al salón. Tom dio un salto y un minuto después ya estaba jugando y haciendo cuantas gracias podía para llamar la atención de Becky, pero la pequeña ni siquiera lo miró una sola vez. Tom se acercaba cada vez más a los alrededores de la niña, gritando como los indios. Se empujaba y atropellaba con los otros chicos, hasta que cayó de bruces a los pies de Becky. La pequeña lo vio, dio la vuelta marchándose y Tom alcanzó a oír que decía: "Algunos se sienten muy graciosos... Siempre presumiendo."

Tom se levantó y se fue más abochornado y decaído.

Capítulo XIII

AQUELLA TARDE TOM SE DECIDIÓ. Se sentía solo, sin amigos, abandonado de todos. Había tratado de ser bueno, pero no lo habían dejado. Llevaría una vida de crímenes. No tenía alternativa.

Para entonces se había alejado del pueblo y apenas escuchaba la campana llamando a clases. Sollozó al pensar que ya no oiría ese tañido otra vez. Era duro, pero lo habían forzado. Ya que lo arrojaban al mundo, tenía que someterse.

En ese momento se encontró con su amigo del alma, Joe Harper. Era evidente que ahí se reunían dos almas solitarias y aventureras. Tom reveló su decisión de abandonar los malos tratos y lanzarse al mundo, expresando la esperanza de que Joe no lo olvidaría.

Pronto se percató de que Joe también se encontraba en esa situación. Su madre lo había azotado, y claramente se veía que ella ya no lo soportaba y quería que se fuera. Los nobles sentimientos del chico eran que ella fuera feliz y nunca se arrepintiera de haberlo echado a la calle para sufrir y morir.

Mientras caminaban hicieron un pacto de ayuda mutua y de no abandonarse hasta que la muerte los alcanzara. Joe se inclinaba por ser anacoreta y vivir en una cueva y alimentarse de mendrugos de pan. Pero después de escuchar a Tom, estuvo de acuerdo en las ventajas que proporcionaba una vida consagrada al crimen y consintió en ser pirata.

Tres millas abajo de San Petersburgo había una isla en el Misisipi, rodeada de bosque, deshabitada y que sería una excelente base de operaciones. El lugar era la isla Jackson. ¿Quiénes serían las víctimas de sus piraterías? Eso no lo sabían.

Luego buscaron a Huckleberry Finn, quien se les unió de inmediato, pues todas las profesiones eran iguales para él.

Después se separaron, conviniendo que se encontrarían de nuevo en la orilla del río, dos millas arriba del pueblo, a la medianoche. Había una balsa de troncos que fácilmente sería la primera nave capturada. Esa misma tarde los muchachos se dieron el gusto de anunciar que pronto todo el pueblo tendría la noticia de "algo gordo".

Cerca de la medianoche, Tom llegó con un jamón cocido y más víveres, y se detuvo en el acantilado. Nada turbaba la tranquilidad de la noche. Luego silbó larga y claramente. Otro silbido se oyó abajo del acantilado. Luego una voz sigilosa dijo:

—¿Quién va?

—¡Tom Sawyer, el Tenebroso Vengador de la América Española! Digan sus nombres.

—Hucky Finn, el Manos Rojas, y Joe Harper, el Terror de los Mares. Estos nombres, Tom los sacó de sus libros favoritos.

—Está bien. Den la contraseña.

Dos fieras voces pronunciaron la terrible palabra: ¡SANGRE!

Entonces, Tom se deslizó por el acantilado. Cuando se reunió con los demás, vio que el Terror de los Mares traía una lonja de tocino. Finn, Manos Rojas, había robado una cazuela y una buena cantidad de tabaco, así como unas pipas. Aquello era sensacional, sólo que ninguno de los otros dos piratas fumaba. El Vengador recordó que no podían emprender la aventura sin fuego; así pues, se dirigieron a la almadía, empuñando dagas imaginarias, dando órdenes de usarlas de ser necesario. Aunque ellos sabían que la almadía estaba sola, no era motivo para no hacer las cosas como genuinos piratas y se hicieron de unos cuantos tizones.

Poco después desatracaron la balsa, al mando del Tenebroso Vengador; con el remo de proa a cargo del Terror de los Mares y el de popa al de Manos Rojas. Tom daba sus órdenes con voz digna de un cruel pirata.

—¡Cíñete al viento! ¡Una cuarta a barlovento!

Como los muchachos empujaban la balsa al centro de la corriente, estas órdenes se daban sólo porque así lo acostumbraban los filibusteros en sus fragatas.

La balsa se enfiló hacia la isla. Pasaban frente al lejano pueblo que dormía sin sospechar el tremendo acontecimiento que se preparaba. El Tenebroso Vengador veía por última vez el lugar donde pasó sus viejos gozos y sus recientes penas, esperando que "ella" lo viera enfrentándose a la muerte y dirigiéndose a la perdición con una amarga sonrisa. Los otros dos, también echaban una última mirada a su hogar. Alrededor de las dos de la madrugada, la balsa varó en la playa de la isla y los tripulantes desembarcaron su cargamento.

Cuando estuvo listo el campamento, hicieron una fogata y frieron un poco de tocino para cenar. Les parecía algo extraordinario estar en plena selva virgen, y no pensaban regresar nunca a la civilización. Cuando hubieron devorado la cena, se tendieron alrededor de la fogata.

—Esto es precioso, ¿verdad? —dijo Joe.

—Increíble —respondió Tom—. ¿Qué dirían los demás si nos vieran?

—Se morirían de ganas por estar aquí. ¿Eh, Hucky?

—Me gusta mucho —dijo Manos Rojas—, no necesito más. Casi nunca tengo qué comer...

—Ésta es la vida que me gusta —dijo Tom—, no hay que levantarse temprano, ni ir a la escuela, ni esas tonterías.

—Así es —dijo el Terror de los Mares—. Prefiero eternamente llevar la vida de pirata.

Mientras, Manos Rojas había encendido su pipa y lanzaba una aromática nube de humo. Los otros dos piratas envidiaban ese majestuoso vicio y decidieron adquirirlo de inmediato.

—¿Qué hacen los piratas? —preguntó Hucky.

Tom daba sus órdenes con voz digna de un cruel pirata.
—¡Cíñete al viento! ¡Una cuarta a barlovento!

—Pues... pasarla bien, apoderarse de barcos, quemarlos y luego pasar por la borda a los que van adentro. Enterrar sus tesoros en una isla...

—Y llevan mujeres a su isla —dijo Joe—, a ellas no las matan porque les gusta su compañía.

—Así es —asintió Tom—, son demasiado caballerosos; además, las mujeres siempre son lindísimas.

—Y también, los piratas usan trajes de lujo, bordados en oro y plata —agregó Joe.

Hucky echó un triste vistazo a su ropa y dijo:

—Yo no estoy vestido para ser pirata, pero no tengo otra ropa mejor que ésta.

Los dos muchachos le contestaron que los trajes de lujo vendrían después, dándole a entender que sus míseros harapos bastaban para empezar.

Luego de esto, los piratas se fueron cayendo de sueño. Manos Rojas durmió profundamente, mientras el Terror de los Mares y el Vengador tuvieron problemas para dormir; pensaban en el hecho de haber robado los comestibles. Trataron de acallar sus conciencias diciéndose que siempre habían tomado golosinas, pero eso ahora no era suficiente consuelo, puesto que para ellos lo de los dulces era sólo tomarlos, mientras esto era delito. Entonces pensaron que aun cuando siguieran siendo piratas no se envilecerían con el robo. Con esto su conciencia se tranquilizó y los dejó dormir.

CAPÍTULO XIV

CUANDO TOM DESPERTÓ, se preguntó dónde se hallaba. El amanecer era gris y fresco. Las gotas de rocío temblaban en el follaje y en la hierba. Hucky y Joe dormían todavía. El Vengador decidió despertar a los otros piratas, y al cabo de un momento los tres corrían y se perseguían en el agua. No sentían nostalgia por el viejo pueblo. La corriente había arrastrado la balsa río abajo, pero esto no les importó. Ahora menos volverían a la civilización.

Regresaron al campamento con un hambre tremenda. Prendieron la hoguera y mientras Joe cortaba rebanadas de tocino, Hucky y Tom se dirigieron a un recodo del río y allí echaron los anzuelos. Joe no tuvo tiempo de impacientarse cuando Tom y Hucky regresaron con un par de percas, un pez-gato y otros peces. Eran provisiones suficientes para todos. Frieron el tocino con los pescados y nunca nada les había parecido más delicioso.

Después de aquel gran desayuno se internaron en el bosque. Encontraron muchas cosas con las cuales deleitarse, pero ninguna con qué asombrarse. Regresaron a la playa y nadaron aproximadamente cada hora y, en cuanto volvieron al campamento, almorzaron espléndidamente con jamón. Se recostaron y la conversación no tardó en cesar por completo.

Una especie de remordimientos y nostalgia comenzó a hacer presa de ellos; hasta Manos Rojas se acordaba de las barricas vacías donde se refugiaba, pero ninguno de los tres se atrevía a decirlo para no ser criticado por los otros.

Desde hacía un rato, los muchachos habían oído un extraño ruido. Pero de pronto éste se hizo más pronunciado. Los chicos se incorporaron y escucharon.

—No es un trueno —dijo Hucky.

Esperaron un rato y luego sonó el mismo fragor sordo.

—¡Vamos a ver qué es!

Corrieron en dirección del pueblo. En medio del río vieron el vapor dejándose arrastrar por la corriente. Había muchos botes alrededor del barco, pero los piratas no podían determinar lo que los tripulantes hacían. En aquel momento el ruido llegó a sus oídos.

—¡Ya sé qué es, Tom! —dijo Hucky—. Lo mismo hicieron cuando se ahogó Bill Turner; tiran un cañonazo por encima del río y eso hace que el cuerpo suba a la superficie.

—Daría cualquier cosa por estar ahí —dijo Joe.

—Yo daría una mano por saber quién es el ahogado —comentó entusiasmado Huckleberry.

Una idea reveladora pasó por la mente de Tom.

—¡Muchachos! ¡Piensan que nosotros nos ahogamos!

En un momento se sintieron héroes. Se vestirían de luto y llorarían por su causa; habría remordimientos por los malos tratos infligidos a los muchachos; y lo mejor de todo, serían tema de conversación del pueblo. ¡Magnífico! Después de todo, valía la pena ser pirata.

Al oscurecer, el vapor volvió a su ocupación habitual y los chicos regresaron al campamento orgullosos por la brillante conmoción que habían causado. Hicieron la comida, y luego reflexionaron acerca de lo que pensarían en el pueblo, y sus visiones eran muy halagadoras. Pero cuando la noche los envolvió, el entusiasmo desapareció. Tom y Joe pensaron que en sus casas había personas que no se divertían tanto con el juego como ellos. Joe sugirió regresar a la civilización...

Tom lo abrumó con sarcasmos. Hucky tomó el partido del Tenebroso Vengador, y el Terror de los Mares se apresuró a explicar su petición, tratando de salir del apuro con el menor mal posible. La rebelión quedó apaciguada por el momento.

Al caer la noche, Hucky roncaba al igual que Joe. Tom los observaba sin moverse. Por último, se puso de pie, cogió varios trozos de corteza enrollada, se agachó junto al fuego y escribió algo. Tomó un pedazo de corteza y lo puso en el bolsillo de Joe. Después caminó "de puntitas" hasta donde ya no podía ser oído y echó a correr en dirección del banco de arena.

Capítulo XV

Poco después Tom estaba en la playa y se metía en el agua hasta las rodillas, y cuando ya no pudo caminar se echó a nadar. Al alcanzar la costa, se dejó arrastrar por la corriente y finalmente pudo tocar el fondo del río. Salió caminando y se puso en marcha a través de los bosques. Un poco después de las diez llegó al pueblo. Tom estaba orgulloso de su éxito. Corrió por las callejuelas poco transitadas y, unos momentos después, estuvo frente a la casa de su tía. Trepó por la valla y se acercó a la ventana de la salita. Allí estaban Polly, Sid, Mary y la madre de Joe. Estaban junto a la cama que se interponía entre ellos y la puerta; Tom la empujó y ésta chirrió, después vio que podía entrar.

—¿Por qué oscila tanto la vela? —dijo Polly—. Es la puerta. Ve a cerrarla Sid.

Tom se escondió bajo la cama. Descansó un momento y luego se arrastró hasta los pies de su tía.

—Pero como les decía —prosiguió ésta—, no era "malo", sino travieso y atolondrado. No reflexionaba más que un burro, pero era buen muchacho.

—Pues lo mismo le pasaba a Joe... era todo lo bondadoso que pudiera pedirse... Y ya no lo volveré a ver.

—Espero que Tom la pase mejor donde está ahora —dijo Sid—, y que no busque pelea.

—¡Sid! ¡Cállate! —exclamó Polly.

—El Señor da y quita —decía la madre de Joe—. ¡Pero es tan atroz! ¡Si lo viera ahora, me lo comería a besos!

—Sé cómo se siente, señora Harper. Ayer al mediodía, Tom cogió al gato y lo atiborró de "Matadolores" y le di un golpe que le volteó la cara.

Las señoras ya no podían contenerse. Tom, bajo la cama, sentía más compasión por él que por cualquier persona en el mundo. Estaba conmovido.

Por las conversaciones dedujo que, primero, pensaron que los muchachos se habían ahogado al bañarse; después, como los chicos habían vaticinado que el pueblo pronto sabría "algo gordo", supusieron que habían tomado la balsa para volver horas después, pero al encontrar el bote perdieron toda esperanza, pues seguramente se habían ahogado. Si los cadáveres no eran encontrados para el domingo, los funerales se celebrarían esa misma mañana.

Tom se mantuvo en silencio durante largo tiempo, hasta que todos en la casa estuvieron dormidos. Entonces salió de su escondite y se incorporó. Se dirigió a la cama de su tía, se inclinó y la besó. Estuvo tentado a dejarle una nota que había escrito en la isla, pero se contuvo. Salió de la habitación cerrando la puerta tras de sí.

Regresó al embarcadero y, como un gran pirata, se hizo de un bote, se metió en él y remó río arriba. Se sintió tentado a quedarse con el bote, pues lo consideraba una legítima presa de piratería, pero sabía que lo buscarían por todas partes y eso podría hacer que los descubrieran. Así pues, al llegar a su escondite soltó el bote y penetró en el bosque. La noche había terminado ya cuando caminaba por la playa. Decidió tomar un descanso. Poco tiempo después se detuvo cerca del campamento y oyó decir a Joe:

—No; Tom cumplirá su palabra y regresará, Hucky. No desertará, sabe que eso sería deshonroso para un pirata.

—Bueno, pero sus cosas ya son nuestras, ¿verdad?

—Casi, pero todavía no. El escrito dice que lo serán si no ha vuelto para el desayuno.

—¡Y aquí estoy! —dijo Tom con gran efecto dramático.

Un suculento desayuno fue preparado y devorado mientras Tom relataba, con grandes adornos, sus aventuras. El terceto de héroes no cabía en sí de orgullo y vanidad; después, el Tenebroso Vengador buscó un lugar sombreado para dormir, y los otros dos piratas se dispusieron a pescar y explorar.

Capítulo XVI

Después de la comida, los piratas se dedicaron a buscar huevos de tortuga en la playa. En algunas ocasiones sacaron hasta cincuenta o sesenta huevos de un solo agujero. Esa noche tuvieron una excelente fritada de huevos, y otra a la mañana siguiente. Luego de desayunar se dirigieron a la playa, persiguiéndose los unos a los otros, y entonces continuaron sus juegos en el agua, en un lugar donde la corriente los hacía perder el paso y la diversión se acrecentaba. Se echaban agua en los rostros, forcejeaban hasta que el más fuerte vencía a su adversario y le hundía la cabeza en el río.

Cuando el cansancio era demasiado, corrían y se detenían en la arena seca. Como vieron que su figura quedaba marcada en la arena, jugaron al circo... un circo con tres payasos, pues nadie quiso ceder una posición de tanta importancia.

Más tarde jugaron a las canicas, pero cuando se aburrieron, Joe y Hucky regresaron a nadar. Tom no se atrevió, pues había perdido su amuleto contra los calambres. Cuando lo encontró y se dispuso a alcanzar a sus amigos, éstos ya estaban muy cansados.

La nostalgia volvió; los ánimos de Joe habían caído tanto, que ya no era posible levantarlos. Hucky también añoraba sus callejones desiertos. Tom se sentía triste, pero trataba de no hacerlo notar. Guardaba un secreto, que no estaba dispuesto a revelar aún.

—Apostaría a que ya ha habido piratas en esta isla. La exploraremos de nuevo. ¿Cómo se sentirían si encontráramos un cofre lleno de monedas de oro? —dijo Tom tratando de levantarles el ánimo.

Pero esto no funcionó. Sólo logró un efímero entusiasmo que se desvaneció como el humo.

Tom probó otros métodos, pero también fallaron. Joe al fin externó su desaliento:

—¡Muchachos! Dejemos esto. Regresemos a casa.

—No, Joe. Te sentirás mejor dentro de poco —dijo Tom—. Piensa en lo que nos podemos divertir aquí.

—No me interesa. Quiero ir a casa.

—Pero Joe, no hay otro lugar como éste para nadar...

—Ya no me gusta nadar, al menos sin que alguien que me quiera me lo prohíba.

—¡Vaya con el nene! Quiere a su mamá.

—Sí, y tú la querrías también si la tuvieras.

—Está bien, niño llorón, vuelve a tu casa; Hucky y yo nos quedaremos aquí.

Hucky sólo respondió un "sí..." sin el menor ánimo.

—No te volveré a dirigir la palabra —dijo Joe.

—¡Qué me importa! —replicó Tom.

Tom se alarmó al ver que el Terror de los Mares no dejaba de vestirse y seguía dispuesto a regresar con su mamá. Tampoco era muy alentador ver que Manos Rojas no dejaba de ver los preparativos de Joe. Luego el Terror de los Mares, sin decir una palabra, empezó a vadear la corriente hacia la ribera de Illinois. El Tenebroso miró a Manos Rojas. Éste no pudo sostenerle la mirada y bajó los ojos.

—También yo quiero irme, Tom. Vámonos todos.

—No quiero. Pueden irse todos. Yo me quedaré aquí, puedo pasármela muy bien sin piratas llorones.

Hucky comenzó a recoger sus cosas y dijo:

—Piénsalo bien. Te esperaremos al llegar a la orilla.

—Bueno, me esperarán sentados.

Hucky se echó a andar y Tom sintió un fuerte deseo de

arrojar su orgullo por la borda e irse con ellos. Finalmente corrió tras sus compañeros, gritando:

—¡Esperen! ¡Quiero decirles una cosa!

Los piratas se detuvieron. Al alcanzarlos, Tom comenzó a decirles su secreto. Lo escucharon de mala gana y, al terminar, lanzaron gritos de entusiasmo, le dijeron que de haber sabido eso desde el principio no hubieran pensado en desertar. Tom dio una disculpa aceptable, pero la verdad era que no lo había dicho antes por el temor de que ni siquiera su secreto podría retenerlos a su lado.

Los piratas dieron alegremente la vuelta y volvieron al campamento. Después de una apetitosa comida, Tom dijo que quería aprender a fumar. Joe también quiso hacerlo. Hucky puso tabaco en las otras pipas y se las dio. Los dos novicios habían fumado antes solamente cigarros de hoja, los cuales eran considerados como poco varoniles. Empezaron a fumar con brío como los buenos piratas.

—¡Es fácil! ¡Si lo hubiera imaginado, lo habría aprendido hace mucho tiempo! —exclamó Joe.

—Muchas veces había visto fumar a la gente y me decía: "Ojalá yo pudiera fumar". ¿Verdad Hucky? —aclaró Tom.

—Sí, así es —afirmó Hucky—. Eso fue un día después de que yo perdí mi canica blanca.

—No me marea —dijo Tom—. ¡Oigan muchachos, me gustaría que los demás nos vieran ahora!

—A mí también.

—No digan nada. Un día, cuando estemos todos, me acercaré y diré: "Joe, ¿tienes una pipa?" y tú me responderás: "Sí, tengo dos, pero mi tabaco es malo". Y yo contestaré: "Está bien, con que sea fuerte". Las encendemos y veremos qué cara ponen.

—¡Qué bien va a estar!

Y cuando sepan que aprendimos mientras éramos piratas, les va a dar una envidia tremenda.

Pronto la plática decayó un poco. Tom y Joe se comenzaron a sentir mal. Joe soltó su pipa. Tom hizo lo mismo. Entonces el Terror de los Mares se incorporó y dijo:

...Tom dijo que quería aprender a fumar. Joe también
quiso hacerlo. Hucky puso tabaco en las otras pipas
y se las dio.

—Perdí mi navaja. Voy a buscarla.

—Yo te ayudaré. Tú vas por ahí y yo por allá. No vengas, Hucky. Nosotros la encontraremos.

Hucky siguió tranquilo fumando durante una hora. Ya no esperó y fue a buscar a sus compañeros. Los encontró muy pálidos y profundamente dormidos. Comprendió que si habían tenido algún problema, ya se habían librado de él.

Cuando cenaron, ni el Terror de los Mares ni el Tenebroso Vengador de la América Española estuvieron muy comunicativos. Al terminar, Manos Rojas Finn preparó las pipas y, cuando las ofreció a sus compañeros, Joe y Tom dijeron que no apetecían fumar en ese momento.

Capítulo XVII

A LA MEDIA NOCHE, Joe llamó a los muchachos. Se reunieron y buscaron el calor del fuego. Un resplandor espectral convirtió la noche en día. Una bocanada de aire frío cruzó el bosque. Otro relámpago iluminó la selva. Se abrazaron aterrorizados. De pronto, empezaron a caer gruesas gotas sobre ellos.

—¡Rápido! ¡A la tienda! —exclamó Tom.

Se pusieron en pie y comenzaron a correr. Un furioso vendaval se desató. Se sucedían los truenos y los relámpagos. Los chicos se llamaban unos a otros, pero el viento ahogaba sus voces. Al fin llegaron a su refugio. El huracán desprendió las ataduras y la tienda salió volando. Los muchachos corrieron a guarecerse bajo un viejo roble. La tempestad parecía querer aniquilar la isla y todo cuanto había en ella. La tormenta cesó y los piratas regresaron, todavía muy asustados, al campamento.

Todo estaba anegado. Era una gran desdicha. Estaban mojados y tiritando; proclamaron a grandes voces su infortunio, pero después descubrieron que no todo estaba empapado.

Así pues, con gran esfuerzo, lograron hacer que la hoguera encendiera. Su corazón se alegró, y decidieron sacar el jamón y darse un festín. Luego se sentaron alrededor del fuego y, entre bromas, comentaron su aventura.

Cuando el sol comenzó a calentar, los chicos se sintieron soñolientos y se fueron a la playa a dormir. Después del des-

Luego rompieron su pacto de no agresión y se atacaron mutuamente. Se mataron y se arrancaron las cabelleras.

ayuno, vino la nostalgia nuevamente. Tom notó los síntomas y trató de reanimar a sus compañeros pero no pudo. No tenían ganas de jugar. Les recordó su secreto y esto pareció servir; logró interesarlos en una nueva empresa. Ésta consistía en dejar de ser piratas por un rato y volverse indios para variar. La idea les agradó, y los tres se pintaron el cuerpo. Por supuesto, los tres eran jefes y salieron a atacar una colonia de ingleses. Luego rompieron su pacto de no agresión y se atacaron mutuamente. Se mataron y se arrancaron las cabelleras. Fue una jornada sangrienta, por lo tanto satisfactoria.

Se reunieron a comer, pero surgió la dificultad de que tres jefes enemigos no podían compartir la comida si antes no fumaban la pipa de la paz.

Dos jefes preferían seguir siendo enemigos, pero no había otra manera. Así, disimularon y fumaron la pipa. Se sintieron muy felices por haberse dedicado al salvajismo, pues se dieron cuenta de que ahora ya podían fumar sin temor, y ya no necesitaban buscar navajas. No era posible que desperdiciaran esos goces tan prometedores.

Capítulo XVIII

LA TARDE DEL SÁBADO tanto los Harper como la tía Polly se
vestían de luto. Toda la aldea estaba tranquila. Los chi-
quillos aborrecían a Tom y a sus compañeros por ha-
berles frustrado sus juegos ese día.

Becky se encontraba vagando melancólica por la escuela,
pero no encontró nada que la consolara.

—¡No tengo nada que me lo recuerde! Si lo volviera a ver
no le diría aquello... pero ya no lo volveré a ver.

Un grupo de compañeros de Tom y Joe comentaban de cómo
el sobrino de Polly había hecho esto o aquello, o de la última
vez que vieron al hijo de la señora Harper.

Después discutieron acerca de quién era el último que
había visto con vida a los tres desaparecidos. Muchos se peleaban esta distinción y ofrecían pruebas más o menos convincen-
tes, así pues, cuando decidieron quién había sido el ganador de
esta discusión, el favorecido asumió un aire de importancia. Un
pobre chico que no podía envanecerse de nada dijo:

—Bueno, recuerdo cuando Tom me pegó.

Pero tal galardón no era gran cosa, pues la mayor parte de
los chicos podía decirlo.

Cuando a la mañana siguiente terminó la escuela dominical, el pueblo se empezó a reunir frente a la iglesia para
cuchichear acerca del triste suceso.

Nadie recordaba cuándo la iglesia había estado tan llena.

Al entrar Polly y sus sobrinos, los asistentes callaron, lo mismo cuando vieron a la señora Harper. Todos vestían de negro. Los fieles se levantaron. El pastor extendió las manos y oró:

— *Yo soy la resurrección y la vida...*

El reverendo recordó las virtudes de los desaparecidos. También relató rasgos de la vida de aquéllos; la gente vio lo noble de esos episodios y recordaron que les habían parecido insignes picardías.

En la galería se escuchó una serie de ruidos, rechinó la puerta de la iglesia y el pastor se quedó petrificado. La concurrencia atónita se miraba entre sí. Los tres "difuntos" avanzaban en fila. Tom a la cabeza y luego Joe y Hucky. ¡Habían estado escondidos en la galería escuchando su propio elogio fúnebre!

Tía Polly, Sid, Mary y los Harper se arrojaron sobre sus respectivos resucitados, sofocándolos a besos. Hucky permaneció abochornado sin saber qué hacer.

— No es justo. Alguien debe alegrarse de ver a Hucky.

— Claro, yo me alegro de verlo — dijo Polly.

Los abrazos y los mimos que ésta le prodigó eran la única cosa capaz de incomodarlo más.

El viejo himno de la iglesia se elevó triunfal. Los piratas estaban orgullosos de la envidia que despertaban entre sus demás compañeros. Pensaban que era el momento más glorioso. Tom recibió ese día más sopapos y besos que en todo un año.

CAPÍTULO XIX

EL GRAN SECRETO de Tom había sido ése: regresar al pueblo para asistir a sus propios funerales.

Durante el desayuno del lunes Polly y Mary se deshicieron en amabilidades con Tom, hasta que Polly dijo:

—La verdad, fue una buena broma. Nos tuvieron sufriendo una semana. Pero si pudiste venir a tu funeral, pudiste haber venido a avisarme de alguna manera que no estaban muertos.

—Yo... bueno... no sé. Eso lo hubiera echado todo a perder.

—Tom, pensé que me querías siquiera un poco. Sid hubiera pensado en ello. Algún día lo lamentarás, Tom, y ya será demasiado tarde.

—¡Vamos, tía! Ya sabes que te quiero. De todos modos soñé contigo. Ya sé que no es mucho, pero es algo, ¿verdad? También soñé a la madre de Joe. Me parece que el viento soplaba —Tom fingió tratar de recordar. Luego continuó—: Ya me acuerdo. La vela se apagaba y mandaste a Sid a cerrar la puerta. Y después... bueno no estoy muy seguro... dijiste que yo no era tan malo, sino alocado. Luego comenzaste a llorar. La señora Harper también lo hizo al recordar que a Joe le pasaba lo mismo. Entonces Sid dijo...

—Yo no dije nada —interrumpió Sid.

—No mientas, sí comentaste algo —replicó Mary.

—Sí, dijo que esperaba que la pasara mejor en donde estuviera. Tú le ordenaste callar. La señora Harper dijo que sentía haber azotado a Joe y tú le contaste lo de Perico. Después platicaron acerca de los funerales. Entonces me pareció que rezabas por mí. Esa noche sentí tanta pena, que tomé un pedazo de corteza y escribí: "No estamos muertos, tan solo estamos siendo piratas". Cuando ya dormías, te di un beso.

—¿De verdad, Tom? Te perdono todo, hijo.

Y estrechó al chico en un apretadísimo abrazo que hizo a Tom sentirse el más vil de los canallas.

Los niños fueron a la escuela y tía Polly a visitar a la señora Harper. Sid fue lo suficientemente listo para callar lo que pensaba del relato de Tom. Sólo opinó:

—Bastante increíble... un sueño tan largo y sin una sola equivocación...

¡En qué héroe se había convertido Tom! Ya no iba saltando, sino caminaba gallardamente, como corresponde a un pirata. Trataba de fingir que no notaba las miradas clavadas en él, ni los comentarios que se hacían a su paso. Pero todo esto era música para sus oídos.

En la escuela los chicos asediaron a los dos héroes para que contaran sus aventuras. Cuando comenzaron a narrar sus increíbles hazañas, ya nadie pudo pararlos. Y para rematar, sacaron sus pipas y entre bocanada y bocanada alcanzaron el pináculo de la popularidad.

Tom decidió que ya no necesitaba a Becky y que con esa gloria era suficiente. Viviría para la fama. Ahora era célebre. En ese momento llegó ella. Tom pretendió no verla.

El Vengador ya había notado que Becky lo miraba dondequiera que estuviera. Esto satisfacía su vanidad. Pensó que la fama de la que gozaba ahora le era suficiente para tener a todos los chicos pendientes de sus actos y evitó que Becky supiese que él no ignoraba por donde andaba ella. Tom se enfrascó en una platica con Amy. Becky, con fingida animación, trabó conversación con una niña que estaba al lado de Tom:

—¡Hola, Mary! ¿Por qué no fuiste a la escuela dominical?

—Sí asistí, llegué temprano.

—Pues no te vi.

—Estaba en la clase de la señorita Peters.

—Bueno, quería hablarte de mi merienda campestre.

—¿Me invitarás?

—Por supuesto. La merienda es por mí, y yo invitaré a todos. Probablemente sea en las vacaciones —y lanzó una mirada a Tom, pero éste seguía embobado con Amy.

—¿Y yo también puedo ir? —preguntó Susy Harper.

Y así prosiguió invitando a todo el grupo menos a Tom y a Amy. Los dos chicos dieron la vuelta y se retiraron charlando. Becky disimuló su enojo, pero la merienda ahora ya había perdido su encanto. En sus ojos había un fulgor de venganza. Pero ya sabía qué hacer.

Durante el recreo, el romance de Tom y de Amy continuó con jubilosa satisfacción de ambos. Tom no dejaba de moverse para encontrarse con Becky. Por fin vio la rubia cabellera que buscaba, pero ¡qué tremenda desilusión! Ella estaba sentada viendo un libro de estampas junto con Alfredo Temple. Los celos estuvieron a punto de hacer explotar a Tom. Comenzó a odiarse a sí mismo por haber despreciado la oportunidad que Becky le había ofrecido para reconciliarse. Se llamó idiota y cuanta palabra encontraba para insultarse. Pasaba junto a ellos para saciar sus ojos con el odioso espectáculo. Becky sabía que tenía la victoria y no le agradaba ver sufrir a Tom. La sensación de gozo que experimentaba Tom junto a Amy se disipó y ya no sabía cómo quitársela de encima.

—¡Maldita sea! ¡Ojalá desapareciera!

Por último, Tom encontró un buen pretexto y se fue. Amy le dijo que se volverían a ver después y Tom sonrió, disimulando el odio que sentía por ella.

—¿Por qué tenía que ser ese idiota? Pero está bien, ya le di una paliza cuando pisó este pueblo y juro que lo volveré a hacer para que lo recuerde. Lo voy a...

Y realizó todos los movimientos para golpear a un adversario invisible, dando puñetazos y patadas.

Cuando se fatigó, preguntó si era bastante, y terminó así el ilusorio vapuleo.

Tom se dirigió a su casa. Becky siguió contemplando sus estampas, pero como Tom ya no aparecía, su triunfo comenzó a hacerse insoportable en compañía de Alfredo. Cuando Tom no apareció, ella se sintió desconsolada y lamentó haber llevado las cosas tan lejos.

— ¡Aquí hay una preciosa! — señaló Alfredo.

— ¡No me fastidies! — exclamó Becky, perdiendo la paciencia—. ¡Vete y déjame en paz!

El muchacho comprendió el juego de Becky. Ella lo había utilizado para desahogar su despecho. Esto aumentó su antipatía por Tom. Clamaba venganza. Encontró su oportunidad cuando abrió el libro del ex pirata en la página en donde estaba la lección para ese día. La llenó de tinta. Becky vio la maniobra y pensó buscar a Tom y contárselo, pero cambió de parecer. Resolvió dejar que lo castigaran y odiarlo eternamente, por añadidura.

CAPÍTULO XX

TOM LLEGÓ A SU CASA de pésimo humor y las primeras palabras de su tía le hicieron ver el error que había cometido.

—Tom, te voy a desollar vivo. Me fui a ver a la señora Harper para contarle tu fantástico sueño y me encuentro con que todo era mentira. Joe le había hecho saber que tú habías estado aquí.

A Tom le había parecido que su agudeza de la mañana era una buena broma. Ahora sólo le parecía una estúpida villanía.

—Tía, ojalá no lo hubiera hecho, pero pensé...

—Tú nunca piensas.

—Tía, fue una maldad, pero vine para decirte aquella noche que no nos habíamos ahogado y ya no te preocuparas.

—Tom, te lo agradecería, pero no puedo creer que hayas sido capaz de hacer algo así.

—De verdad que sí.

—No mientas.

—No es mentira. Quería que tú no pasaras por malos momentos. Verás, tía, cuando te oí hablar del funeral, pensé volver aquí y encontrarnos en la iglesia. De modo que guardé de nuevo la corteza en mi bolsillo y no te dejé nada.

—¿De qué corteza hablas?

—Una donde escribí que nos habíamos hecho piratas. ¡Ojalá hubieras despertado cuando te besé!

—¿Me besaste? ¿Por qué lo hiciste?

—Porque te quiero mucho.

—¡Pues bésame otra vez!, y ya te estás marchando a la escuela. ¡No me fastidies más!

En cuanto Tom se fue, sacó los restos del bulto con que el ex pirata se había hecho a la aventura. Luego se dijo varias veces que no debería desconfiar de su sobrino, aunque se imaginaba que había mentido. Así que guardó el saco, pero volvió a sacarlo y meditó dos veces sin atreverse a registrarlo. Pero a la tercera, metió la mano al bosillo y un momento después estaba leyendo la corteza. En aquel momento, Polly perdonó a Tom todos sus errores.

CAPÍTULO XXI

TÍA POLLY BESÓ tiernamente a Tom, y éste se sintió nuevamente feliz. Se fue directamente a la escuela y se encontró con Becky. Sin vacilar un segundo le dijo:

—Me porté muy suciamente esta mañana, y de veras lo siento. ¿Platicamos un rato?

—Le agradeceré a usted que se quite de mi presencia, señor Thomas Sawyer.

Tom se quedó atónito, temblando de rabia se dio la vuelta y se dirigió al patio de la escuela deseando que Becky fuera un muchacho, y ya se imaginaba la paliza que le hubiera dado.

A Becky le parecía que la clase no empezaría nunca; se sentía impaciente por ver cómo azotaban a Tom por lo del libro de gramática. Si le quedaba algún remoto pensamiento de acusar a Alfredo, ya se le había desvanecido.

Ella no sabía que pronto se vería en apuros. El maestro, el señor Dobbins, había llegado a la edad madura con una frustración: nunca pudo ser médico. Todos los días sacaba de su escritorio un libro misterioso. Nadie sabía cuál era su contenido. Ese día Becky, al pasar junto al mueble, notó que la llave estaba en la cerradura. ¡Ésta era una oportunidad única! Miró alrededor y no había nadie, al siguiente movimiento ya tenía el libro. El título no le dijo nada. "Anatomía", por el profesor Zutano. Lo hojeó y encontró una linda lámina a colores. En aquel momento Tom entró en la sala. Becky, en su intento por guar-

*Becky, en su intento por guardar el libro, tuvo la mala
suerte de rasgar la página del grabado hasta la mitad.*

dar el libro, tuvo la mala suerte de rasgar la página del grabado hasta la mitad. Metió el volumen en el escritorio y luego comenzó a llorar.

—Tom, eres malo en venir a espiar lo que hago. Vergüenza deberías sentir porque me vas a acusar. ¡Te aborrezco! —y salió de la clase.

Tom se quedó inmóvil y se dijo:

—¡Qué chica tan rara y tan tonta! ¡Nunca le han pegado en la escuela! Chica tenía que ser. Todas son delicadas y miedosas. No diré nada. Pero Dobbins preguntará quién fue y procederá como siempre. A las chicas se les nota la culpabilidad en la cara. Seguramente la castigará —Tom reflexionó un momento y luego añadió—: Le hará bien. A ella le gustaría verme en el mismo aprieto.

El maestro llegó y comenzó la clase. Tom miraba sin cesar el lugar donde se hallaba Becky. No quería compadecerse de ella. Al abrir su gramática, descubrió el estropicio. Ahora él estaba demasiado ocupado con sus propios problemas, sabía que no podía salir del paso con sólo negar haberlo hecho. El profesor, al escuchar la negativa, reaccionó como Tom lo esperaba. Las cosas no podían estar peor. Becky tuvo el impulso de delatar a Alfredo, pero se contuvo.

"Seguramente Tom dirá que yo rompí la estampa del libro. No diré una palabra", recapacitó rencorosa.

Tom recibió la paliza y regresó a su lugar, pensando que no era difícil que él mismo hubiera tirado la tinta. Había negado todo únicamente por cuestión de principios.

El maestro dormitaba con el rumor del estudio. Después, Dobbins se irguió en su asiento, bostezó, abrió el escritorio y sacó su amado libro.

Tom miró a Becky. Olvidó todo lo sucedido entre ellos. ¡Había que hacer algo! Se apoderaría del libro y huiría por la ventana. Pero en su resolución titubeó y su oportunidad se fue. El maestro abrió el volumen. Ya no había remedio. Un momento después el profesor Dobbins rugió amenazador, preguntando a su azorado auditorio:

—¿Quién rompió el libro? —el maestro escudriñaba rostro tras rostro buscando señales de culpa.

—Benjamín Rodgers, ¿usted rompió el libro?

Una negativa.

—Joseph Harper, ¿usted lo hizo?

Otra negativa.

—¿Amy Lawrence?

Un sacudimiento de cabeza. La siguiente era Becky. Tom se estremeció.

—Rebeca Thatcher... —Tom la miró, estaba pálida y no pudo contestar cuando Dobbins le preguntó—: ¿Fuiste tú?

Entonces, Tom se puso en pie y gritó:

—¡Yo fui!

Toda la clase lo miró, y cuando se adelantó para recibir el castigo, la admiración que Tom vio en los ojos de Becky le pareció suficiente premio para recibir cien palizas a cambio.

Esa noche, Tom fue a la cama pensando en su venganza contra Alfredo, pues Becky, agradecida y avergonzada, le había contado todo sobre su libro de gramática.

MINTURN BRANCH
EAGLE COUNTY PUBLIC LIBRARY
P.O. BOX 328   827-4240
MINTURN, COLORADO   81645

Capítulo XXII

S E ACERCABAN LAS VACACIONES. Dobbins estaba más severo que nunca. Sólo los alumnos más crecidos y las señoritas escaparon de sus palizas. A medida que el gran día se aproximaba, el maestro parecía gozar castigando las más ligeras faltas. Los alumnos pequeños no desaprovechaban la oportunidad para hacer a Dobbins una mala pasada, pero éste, con sus castigos, arrollaba cualquier insubordinación.

Los muchachos se reunieron y tomaron juramento al hijo del pintor y le pidieron ayuda. Él tenía muchos motivos para prestarla, pues el maestro se hospedaba en su casa y le había dado motivos para aborrecerlo. La esposa de Dobbins no estaba en el pueblo y él se preparaba para las grandes ocasiones acicalándose perfectamente y emborrachándose un poco.

El hijo del pintor prometió arreglar las cosas, mientras el viejo Dobbins dormitara. Luego, lo despertarían con el tiempo justo para dirigirse precipitadamente a la escuela.

El gran día llegó. La escuela estaba iluminada profusamente y adornada con guirnaldas.

Los ejercicios empezaron. Un niñito se puso de pie y recitó aquello de: "No podían esperar que un niño de mi edad hablara en público"; otra niñita tartamudeó: "María tenía un corderito".

Luego Tom Sawyer avanzó con presuntuosa confianza y se lanzó en el inextinguible discurso de: "Libertad o muerte",

*El gato ya estaba a menos de una cuarta de distancia
de la cabeza del maestro. Bajó más y hundió sus uñas
en la peluca de Dobbins.*

con briosa fuerza y frenética gesticulación, pero se atascó a la mitad. Lo sobrecogió un tremendo pánico. Tenía la simpatía del auditorio, pero también su silencio, que era peor. El maestro frunció el ceño y esto completó el desastre. Tom luchó un momento con su desleal memoria y luego se retiró derrotado. Después, hubo el concurso de lectura y ortografía. El momento cumbre llegó cuando comenzaron las composiciones originales de las señoritas. Los temas eran los mismos que habían desarrollado sus madres y abuelas, y toda la estirpe femenina desde la época de las cruzadas.

Apareció entonces una jovencita de tez morena, quien tomó una expresión dramática y empezó a leer:

—La noche era negra y tenebrosa, arriba, en el alto trono, ni una estrella brillaba; los sonidos del trueno...

Esta horrible pesadilla ocupó diez largas hojas escritas con letra pequeña, y fue considerada como el más meritorio de los trabajos leídos en la velada.

El alcalde al entregar el galardón pronunció otro discurso tan malo como el de la niña.

Después, el maestro, sintiéndose ya en el límite de lo genial, empezó a dibujar un mapa de América. Su mano insegura trazó varias líneas tan torcidas que tuvo que volver a dibujar el mapa. Las risitas no se hicieron esperar. Así pues, puso toda su atención en lo que hacía, y cuando sentía el triunfo los murmullos aumentaron. Por encima de su cabeza los chicos descendían un gato atado a una cuerda. Tenía un trapo en las fauces para evitar que maullara. Las risitas aumentaban. El gato ya estaba a menos de una cuarta de distancia de la cabeza del maestro. Bajó más y hundió sus uñas en la peluca de Dobbins, se asió de ella y pronto tiraron de él hacia arriba, llevando el trofeo en las garras.

Aquello terminó con la reunión. Los muchachos estaban vengados. Habían comenzado las vacaciones.

Capítulo XXIII

DURANTE LAS VACACIONES, Tom ingresó a la orden de los "Adalides del Antialcoholismo", atraído por sus insignias y emblemas. Prometió no fumar, ni mascar tabaco o maldecir mientras permaneciera en la orden. Descubrió que comprometerse a no hacer algo es el mejor medio para desear lo que está prohibido.

Tom se sintió atormentado por el deseo de fumar o de blasfemar, y sólo la esperanza de que algo ocurriera y le diera la oportunidad de lucir su banda roja en los desfiles lo contuvo de renunciar.

A las cuarenta y ocho horas de traer esos grilletes puestos, puso sus esperanzas en el anciano juez Fraser, quien parecía estar enfermo de muerte. Durante tres días preguntó por la salud del magistrado. A veces sus esperanzas eran tan grandes que llegaba a ponerse sus insignias y ensayaba delante del espejo... Pero el juez se recuperó. Esto fue una ofensa para Tom y por ello presentó de inmediato su dimisión, y aquella misma noche el anciano juez murió. Tom decidió nunca volver a confiar en un hombre tan voluble. El funeral fue sensacional y los "Adalides" desfilaron de una manera que hacían morir de rabia al renunciante.

Tom se dio cuenta que las vacaciones tan anheladas comenzaban a aburrirlo.

Por aquellos días llegó al pueblo una banda de músicos

negros. Tom y Joe organizaron su orquesta y durante tres días fueron más o menos felices.

Luego jugaron al circo durante algún tiempo y después se olvidaron de ello. También hubo algunas fiestas de muchachas y muchachos, pero fueron pocas y sólo sirvieron para hacer los penosos intervalos entre ellas más penosos aún.

Becky se fue a su casa en Constantinopla, a doce millas de distancia, para pasar las vacaciones con sus padres.

Luego llegó el sarampión. Durante dos largas semanas, Tom fue su prisionero, muerto para todo el mundo. Cuando al fin pudo vagar por el pueblo descubrió que había cundido un despertar religioso y todos en San Petersburgo se habían dedicado a la devoción. Tom recorrió las calles y cuando encontró a Joe estudiando su Biblia, le volvió la espalda, alejándose de tan desconsolador espectáculo. Buscó entonces a Ben y lo halló visitando pobres para darles algunos folletos devotos. Cada compañero que encontraba aumentaba su desesperación; ya deseando divertirse un poco, buscó a Huckleberry y éste lo recibió con una cita bíblica. Entonces Tom regresó a su casa y se metió a la cama, convencido de que sólo él estaba perdido para siempre, sin esperanzas de salvación.

Al día siguiente Tom sufrió una recaída y las tres semanas que tuvo que permanecer en cama le parecieron una eternidad. Cuando se levantó y pudo salir de casa, caminó por las calles y se topó con Jimmy, quien actuaba de juez ante un jurado infantil que juzgaba a un gato por haber asesinado a un pájaro. Después encontró a Joe y a Hucky escondidos en un callejón, comiéndose un melón robado. ¡Pobres muchachos!, ellos también habían sufrido una recaída...

Capítulo XXIV

E N ESA SEMANA, el tribunal iba a abrir sus puertas para sustanciar el proceso por asesinato. Tom no podía dejar de pensar en la injusticia que se cometería con Muff Potter. Cada alusión que se hacía a él le producía un escalofrío, no había nada que hiciera suponer que él supiera algo acerca del crimen, pero no podía sentirse tranquilo. Cuando vio a Hucky se lo llevó a un lugar apartado para hablar del asunto. Platicar de esto sería un alivio. Además, quería estar seguro de que Hucky no hubiera cometido una indiscreción.

—Hucky, ¿has hablado con alguien de eso?

—¡Por supuesto que no! ¿Por qué me lo preguntas?

—Porque tenía miedo.

—Vamos, Tom, no hubiéramos vivido dos días si se hubiera sabido lo que sabemos nosotros.

Tom se sentía más tranquilo, y después de un rato dijo:

—Bueno, me parece que estaremos seguros mientras no abramos el pico.

Juraron con gran solemnidad nuevamente. Luego Tom volvió a preguntar:

—¿Qué has oído por allí, Hucky?

—Pues que Potter por allá, Potter por acá, y por todos lados es Potter. Yo me esconderé hasta que todo esto termine.

—Me parece que a ése lo cuelgan. ¿No te da lástima el pobre, Hucky?

—Pues sí. No vale un pito, pero tenía cosas buenas, y nunca se metía con nadie. Una vez me convidó de su pescado, aunque no alcanzaba para los dos. Es un holgazán, pero todos tenemos derecho a serlo de vez en cuando.

—Bueno, él me componía mis papalotes y los anzuelos, Hucky. Si pudiéramos sacarlo de allí.

—No podríamos, Tom. No soporto cuando hablan de él como si se tratara de un demonio.

—Lo mismo me pasa a mí. Yo oí que si lo dejaban en libertad lo lincharían.

Los muchachos hablaron mucho, pero esto los intranquilizó más, y esa tarde se encontraban rondando la cárcel. Poco después se acercaron a la celda de Potter para entregarle, entre otras cosas, tabaco y cerillos.

La gratitud del preso hacía que a los muchachos les remordiera la conciencia. Se sintieron cobardes y traidores hasta el último grado cuando Potter les dijo:

—Han sido muy buenos conmigo. Yo recuerdo que les componía sus juguetes a todos los chicos y era su amigo, y ahora me han olvidado todos, menos ustedes. Creo me van a colgar, y harán bien, pero no quiero hacerlos sufrir con eso, porque son mis amigos. Es bueno ver que me estiman ahora que estoy en esta dificultad.

Después de esta visita, Tom tuvo infinidad de pesadillas; no podía dejar de rondar las puertas del tribunal en los días siguientes. A Hucky le ocurrió lo mismo. Se esquivaban con gran cuidado, tanto Tom como Huckleberry.

Tom oía malas noticias. Todos decían que la declaración de Joe, el indio, hundiría a Potter y que no había duda del veredicto de culpabilidad.

Tom se acostó tarde aquella noche. A la mañana siguiente todo el pueblo se dirigió al tribunal, pues era el día decisivo. El jurado tomó su lugar y Potter fue introducido con cadenas al estrado. Al llegar el alguacil, el juez declaró abierta la sesión.

Llamaron a un testigo que declaró haber visto a Muff lavándose las manos y el cuerpo la mañana del crimen. Otro declaró haber encontrado la navaja de Potter junto al cadáver. Así, varios testigos más declararon en contra del inculpado. El abogado defensor se negaba a interrogar a los declarantes. Entonces el fiscal dictaminó:

—Hemos probado por medio de las declaraciones de estos ciudadanos, que el autor de este horrible crimen ha sido el prisionero que está sentado en el banquillo de los acusados.

El defensor se puso en pie y dijo:

—Primero quise probar que mi defendido había cometido este crimen por estar bajo el efecto del alcohol. Ahora ya no. Que comparezca Thomas Sawyer, por favor.

Todos se asombraron al escuchar la petición del defensor. Tom estaba fuera de este mundo. Se encontraba terriblemente asustado. Se le tomó juramento.

—Thomas Sawyer, ¿dónde se encontraba usted el diecisiete de junio a las doce de la noche?

Tom miró al indio, y su lengua se trabó. Sin embargo, se las arregló para hacer que parte del auditorio pudiera oír:

—En el cementerio.

Una desdeñosa sonrisa se dibujó en el rostro de Joe, el indio.

—¿Estabas cerca de la tumba de Williams?

—Sí, señor. Tan cerca como lo estoy de usted. Estaba escondido detrás de los olmos.

Joe fue sorprendido por un sobresalto casi imperceptible.

—¿Había alguien contigo?

—Sí, fui con...

—¡Eso no importa! ¿Llevaron alguna cosa al cementerio?

Tom vaciló y se sintió abochornado.

—Pues... nada más que un... gato muerto.

—Bueno, y ¿qué pasó?

Tom vaciló al principio, pero luego no se oía más voz que la suya. La tensión llegó a su clímax al decir el chico:

—Cuando el doctor golpeó a Muff Potter y éste cayó, Joe, el indio, saltó con la navaja y...

Entonces, como una centella, el mestizo saltó por la ventana y rápidamente desapareció.

CAPÍTULO XXV

UNA VEZ MÁS, Tom era un héroe envidiado por todos. Hubo hasta quien creyó que llegaría a ser presidente si no lo ahorcaban antes.

Como sucede siempre, aquellos que primero acusaban y maltrataban a Muff, ahora lo felicitaban.

Fueron días de esplendor para Tom, pero las noches eran de horror, pues Joe, el indio, le turbaba el sueño. El pobre Hucky estaba en el mismo estado de angustia. La gratitud de Muff lo hacía sentirse halagado, pero por las noches deseaba haber cerrado el pico. La mitad del tiempo se preocupaba porque Joe fuera atrapado, y la otra mitad porque no lo fuera; ya nunca podría respirar tranquilo, hasta que el mestizo muriera y él le echara un vistazo al cadáver.

Se ofreció una recompensa por la captura de Joe, pero nunca lo encontraron. Un detective vino de San Luis. Descubrió una pista, pero a las pistas no se les puede colgar, y el detective regresó a su pueblo. Tom siguió tan inseguro como antes de que el investigador interviniera.

Capítulo XXVI

Todo muchacho tiene la necesidad de buscar un tesoro alguna vez, y Tom sentía esa necesidad ahora. Se dirigió a buscar a Joe, pero no lo encontró. Luego pensó en Ben, pero éste no estaba en su casa; finalmente se encontró con el otrora temible Manos Rojas. Hucky serviría para el asunto, así que le habló de ello.

—¿En dónde excavaremos? —preguntó Hucky—. ¿Hay tesoros en todas partes?

—¿Cómo crees? Están escondidos en los lugares más raros.

—¿Y quién los esconde?

—Pues los bandidos.

—Si fuera mío el dinero, yo no lo escondería, lo gastaría.

—Yo también, pero los bandidos piensan que después lo buscarán, y casi siempre se les olvida el lugar donde lo escondieron, o se mueren. Luego alguien encuentra un papel, que dice donde está el tesoro; un papel que hay que descifrar.

—¿Y tú tienes un papel de ésos?

—No.

—Entonces, ¿cómo vamos a encontrar el tesoro?

—Yo no necesito tal papel. Siempre entierran los tesoros en casas encantadas o en islas, debajo de un árbol seco.

—Hay muchos árboles secos, ¿cómo sabremos dónde cavar?

—Pues en todos ellos. Supón que encontraras unos cien dólares o un arcón lleno de diamantes.

—¡Eso sería magnífico! Que me den los cien dólares, no necesito los diamantes.

—Está bien, Hucky, pero yo también tomaría los diamantes. ¿Nunca los has visto?

—No, que yo recuerde.

—Los reyes los tienen a montones.

—No conozco ningún rey.

—Si fueras a Europa los verías en cualquier país que visitaras. Como a ese Ricardo.

—Ricardo... Ricardo ¿qué?

—Bueno, Hucky, los reyes no tienen más que su nombre de pila muchos lo han hecho famoso.

—Pues, si a ellos les gusta, supongo que está bien, pero si yo fuera rey me pondría otro nombre más, no me gustaría ser como un negro. Pero, ¿dónde cavaremos?

—Pues no sé. ¿Qué te parece aquel viejo árbol?

Cuando estuvieron de acuerdo, se agenciaron un pico y una pala y emprendieron su primera caminata de tres millas. Llegaron fatigados, se tumbaron bajo un olmo y descansaron. Dando por hecho el hallazgo del tesoro, hacían planes:

—Dime, Hucky, ¿qué harás con tu parte del tesoro?

—Bueno, me compraré muchos pasteles, iré a todos los circos, y me tomaré un vaso de soda todos los días.

—¿Y no ahorrarías?, para tener algo con qué vivir.

—Claro que no. Mi papá podría volver al pueblo y robármelo. ¿Qué harás tú con tu parte?

—Me compraré una espada, otro tambor y una corbata colorada para casarme.

—¡Casarte! ¡Tú estás loco! ¡Es la cosa más tonta que puedes hacer! Todas son iguales, lo tratan a uno a patadas. Más vale que lo pienses bien. ¿Y cómo se llama la chica?

—No es una chica... es una niña. Pero te diré su nombre algún día, no te preocupes.

—Bueno, pero si te casas me quedaré más solo que nunca.

—No, de ninguna manera. Tú vivirás con nosotros. Ahora basta de charla, a trabajar.

Trabajaron durante media hora. No hubo resultados.
Hucky, un poco cansado, preguntó:

—¿Los entierran tan hondo?

—Algunas veces, pero creo que nos equivocamos de lugar.

Eligieron otro sitio, y cavaron con menos bríos. Al cabo,
Hucky se volvió a quejar:

—¿Dónde cavaremos después?

—En el árbol que está en el monte Cardiff.

—Me parece que ése será un buen lugar, ¿no nos lo quita-
rá la viuda que es dueña del árbol?

—¿Por qué? Los tesoros son de quien los encuentra.

Al poco tiempo de haber reanudado su trabajo, Hucky se
quejó de nuevo:

—¡Maldición! Otra vez estamos en un lugar equivocado.

—Todo esto está muy raro, Hucky, pero algunas veces las
brujas se meten en estas cosas.

—Las brujas no tienen poderes en las mañanas.

—¡Es verdad! Hay que ver dónde cae la sombra de la rama.
¡Qué idiotas somos! Tenemos que esperar a la medianoche.

—¡Maldita sea! Todo este trabajo ha sido inútil. Espere-
mos pues. Bueno, iré a tu casa y maullaré.

Los chicos se presentaron nuevamente en aquel lugar a la
medianoche. Se sentaron a esperar en la oscuridad. Era una
hora que la tradición había hecho solemne. Cuando juzgaron
que eran las doce, señalaron el lugar donde debían cavar. Sus
esperanzas crecieron. El hoyo se volvía cada vez más profundo. El corazón les daba un vuelco cada vez que la pala golpeaba
algo. Pero siempre se veían desilusionados al ver que sólo se
trataba de una piedra. Finalmente Tom dijo:

—Hemos fallado otra vez.

—No puede ser, Tom, señalamos la sombra justo donde
estaba a esa hora.

—Pues nos equivocamos en la hora. Debió ser más tarde o
más temprano.

Hucky dejó caer la pala.

—Eso es, ahí estuvo nuestro error. Nunca sabremos la hora

—¡Maldición! Otra vez estamos en un lugar equivocado.

exacta. Además da miedo, con todos esos aparecidos y brujas. Tengo la carne de gallina desde que llegamos.

—Me pasa lo mismo —dijo Tom—. Casi siempre entierran a un muerto con el tesoro para que lo cuide.

—Tom, no me gusta andar haciendo tonterías, sobre todo en lugares donde hay muertos.

—A mí tampoco. Figúrate que saliera uno y sacara la calavera y nos dijera algo.

—¡Cállate, Tom! Dejemos este sitio y vamos a otro.

Tom lo pensó y luego dijo:

—Bueno, en la casa encantada.

—Demonios, no me gustan las casas encantadas. Son peores que los difuntos. Los muertos hablan, pero no se te aparecen por detrás con su sudario.

—Hucky, los muertos y los fantasmas sólo andan por ahí por la noche. No nos impedirán que cavemos de día.

—Pero nadie va allí de día ni de noche.

—Porque no les gusta ir adonde asesinaron a alguien, pero no te preocupes. No ha pasado nada. Sólo se ven luces, pero nunca fantasmas.

—Bueno, si se ve una luz azul, puedes apostar a que hay algún fantasma por ahí cerca.

—Sí, así es. Pero sólo de noche. De día no pasa nada.

—Está bien. La emprenderemos con la casa encantada.

Ya para entonces habían comenzado a bajar la cuesta. Abajo estaba la casa encantada. Los muchachos esperaron un rato para ver una luz azul, pero no pasó nada. Entonces, desilusionados, se dirigieron al pueblo.

Capítulo XXVII

AL MEDIODÍA SIGUIENTE los dos amigos se reunieron en el árbol seco. Tom estaba impaciente por llegar a la casa encantada. Hucky dijo:

—Oye, Tom, ¿sabes qué día es hoy?

—¡Caray! No había pensado en eso, Hucky. ¡Maldita sea! Pudimos habernos metido en una buena por venir aquí en viernes.

—Ayer tuve una pesadilla —dijo Hucky—. Soñé con ratas.

—¡Señal de problemas! ¿Peleaban? —Hucky negó con la cabeza. Tom prosiguió—: Bien, eso es bueno, Hucky. ¿Sabes quién era Robin Hood?

—No, ¿quién era?

—Pues, era un gran hombre. Era un bandido.

—¡Qué bien! ¿A quién robaba?

—Sólo a la gente rica y al rey. Siempre compartía su botín con los pobres. Podía vencer a cualquier hombre con una sola mano, y también atravesar una moneda con su arco de tejo.

—¿Qué es un arco de tejo?

—No sé. Y si le pegaba al borde, se tiraba al suelo y se ponía a llorar... y maldecía. ¡Ya!, jugaremos a Robin Hood.

Jugaron a Robin Hood y cuando cayó la tarde regresaron al pueblo. El sábado volvieron junto al árbol seco y cavaron el último hoyo, no con muchas ganas. La cosa falló otra vez, de manera que los chicos se fueron con la convicción de haber cumplido con todos los requisitos de un buen cazador de tesoros.

Cuando llegaron a la casa encantada, los muchachos se detuvieron y dudaron en entrar. Al fin se dirigieron al interior con el corazón latiéndoles aceleradamente, y con los músculos listos para escapar.

Una vez familiarizados con el lugar, lo examinaron minuciosamente. Subieron al piso superior y lo hallaron abandonado al igual que todo lo demás. Estaban listos para comenzar el trabajo, cuando...

—Chitón —dijo Tom.

—¿Qué sucede?

—¡Santo Dios! ¡Corramos!

—¡No te muevas! Vienen directo a la puerta.

—Se detuvieron... ¡No hables, Hucky!

Entraron dos hombres y los muchachos se decían:

—Allí está el viejo español sordomudo. Al otro hombre jamás lo he visto.

Cuando aquellos dos entraron, el "otro" hablaba; luego se sentaron en el suelo y siguieron conversando, y sus palabras se hacían menos cautelosas.

—No —dijo—; lo he pensado y no me gusta. Es peligroso.

—¿Peligroso? —refunfuñó el "sordomudo"—. ¡Gallina!

Aquella voz los estremeció, dejándolos atónitos. ¡Era Joe, el indio! Luego continuó éste.

—No es más peligroso que el otro golpe.

—Eso fue diferente, nadie podía vernos. Nunca se hubiera sabido, si hubiéramos fallado.

—Bueno, ¿qué es más peligroso que venir aquí durante el día y que cualquiera te pueda ver?

—Ya lo sé. Yo quería irme de aquí, pero de qué serviría con esos condenados chicos jugando allá afuera.

Los "condenados chicos" se estremecieron y recordaron la buena suerte que habían tenido al acordarse el día anterior, que era viernes.

Después de un largo silencio Joe dijo:

—Oye, tú regresarás a tu tierra. Daremos el golpe cuando yo vea que todo está bien.

Aquello parecía aceptable, luego los dos hombres comenzaron a bostezar.

—Me caigo de sueño. Te toca vigilar.

Poco después ambos estaban roncando. Tom susurró:

—¡Ahora o nunca! ¡Vámonos!

Tom se levantó suavemente y al primer paso que trató de dar se oyó un fuerte crujido. No hizo un segundo intento y se volvió a tender en el suelo. Los muchachos se mantuvieron allí, echados. Luego notaron que se estaba poniendo el sol.

Los ronquidos cesaron y Joe, el indio, se sentó y miró en su derredor y vio a su compañero, lo empujó con el pie y le dijo:

—¡Vaya! Tú estás vigilando, ¿eh?

—Bueno... no pasó nada.

—Ya es tiempo de ponerse en marcha. ¿Qué hacemos con el dinero que nos queda?

—Dejarlo aquí como siempre. Seiscientos sesenta y cinco dólares en plata son muy pesados para llevarlos encima. Vamos, empieza a enterrarlos.

—Bien compadre —dijo el compinche, quien sacó unos veinte o treinta dólares para él y para su compañero y entregó el costal a Joe, quien se encontraba cavando con su navaja.

Los muchachos olvidaron sus temores. ¡Qué suerte! Aquello sobrepasaba toda imaginación. Seiscientos dólares eran suficientes para hacerse ricos. Aquella era la caza de tesoros con los mejores auspicios. El cuchillo de Joe topó con algo.

—¡Vaya! Encontré una caja. Echa una mano y veremos lo que contiene.

—¡Demonios, es dinero!

Ambos hombres examinaron las monedas. Eran de oro. Los muchachos, allá arriba, estaban tan excitados como los hombres de abajo, y no menos contentos.

—Esto lo arreglaremos. Allí hay un viejo pico. Lo acabo de ver abandonado frente a la casa.

Fue corriendo por el pico. Joe lo tomó y empezó a usarlo.

Pronto puso la caja al descubierto. Los hombres admiraban el tesoro anonadados.

—¡Compadre, aquí hay miles de dólares!

—Bueno, si tú lo dices. Lo enterraremos de nuevo.

—Sí, ya podemos huir sin dar otro golpe.

Gran júbilo en el piso de arriba.

—No, de ningún modo.

Profundo desencanto de los espectadores.

—¿Quién trajo esos utensilios aquí? Además, alguien podría venir y ver el piso removido y llevarse la caja. No, lo llevaremos a mi escondite.

—¡Por supuesto! ¿Lo llevarás al número uno?

—No... al número dos; bajo la cruz.

—Muy bien. Ya oscureció lo suficiente para irnos.

—¿Quién pudo traer esas herramientas aquí?

—¿Crees que podrían estar arriba?

Los muchachos se quedaron sin aliento. Joe se volvió hacia la escalera. Los pasos subían, crujiendo, por el corredor... La angustia despertó la energía de los chicos... estaban listos para saltar hacia el armario, cuando se oyó un derrumbamiento y Joe se desplomó entre las ruinas de la vieja escalera. El indio refunfuñó un rato. Después convino con su compañero que debían marcharse. Salieron de la casa y se dirigieron al río con su preciosa carga.

Tom y Hucky se levantaron desfallecidos. Se sentían satisfechos de haber salido con bien y se dirigieron al pueblo. No hablaban mucho. Estaban demasiado ocupados maldiciendo su mala suerte, que les había hecho llevar las palas y los picos a la casa; de no haber sido así, Joe, nunca hubiera sospechado y ellos se hubieran podido apoderar del tesoro.

Resolvieron estar alerta para cuando el "español" regresara al pueblo, y poder seguirlo hasta el "número dos". Después se le ocurrió a Tom una siniestra idea.

—¿Venganza? ¿Y si fuera contra nosotros?

—¡Ni se te ocurra decirlo, Tom! —contestó Hucky.

Discutieron el asunto y acordaron que Joe se refería a algún otro, o al menos a Tom, puesto que éste había sido quien testificó en contra de Joe.

Capítulo XXVIII

LOS SUEÑOS DE TOM se vieron muy perturbados esa noche. Cuatro veces había echado mano de ese rico tesoro y otras tantas se le había escapado. Cuando despertó recordó los incidentes de la noche anterior, pero le parecía un sueño. Había un fuerte argumento a favor de esa idea. La cantidad de dinero era demasiado cuantiosa para ser real. Nunca en su vida vio cincuenta dólares juntos y se imaginó que "cientos" y "miles" no era posible que existieran. No suponía que una suma como cien dólares podía estar en posesión de alguien. Esas eran fantasías y nada más.

Pero los incidentes de su aventura, poco a poco fueron tomando mayor relieve. Había que acabar con esa incertidumbre. Iría a buscar a Hucky. Éste se encontraba chapoteando con los pies en el agua. Tom decidió que Hucky encauzara la conversación.

—Hola, Hucky.

—Hola, Tom.

Se hizo un silencio.

—Tom, si hubiéramos dejado esa maldita herramienta en el árbol seco, Joe nunca hubiera recelado, habría enterrado el tesoro y después nosotros lo habríamos rescatado.

—¡Entonces no fue un sueño! En cierta manera me hubiera gustado que lo fuera.

—¡Sueño! Si no se hubiera roto la escalera, hubieras visto.

He tenido muchas pesadillas con ese demonio. ¡Ojalá lo ahorquen cuanto antes!

—¡No! ¡Antes tenemos que encontrar el dinero!

—Tom, sólo se tiene una oportunidad en la vida para encontrar un tesoro y nosotros la perdimos.

—"Número dos", no sé lo que quiere decir, ¿será el número de una casa?

—No, Tom, en el pueblo las casas no lo tienen.

—Es verdad. Entonces es el número de una habitación... en una posada.

—¡Eso es! Sólo hay dos posadas aquí.

—Espera aquí, Hucky, hasta que vuelva.

Tom se alejó, y a la media hora regresó. Averiguó que en la mejor posada, el cuarto número dos estaba ocupado por un abogado. En la más modesta, el número dos era un misterio. Nadie salía ni entraba allí.

—Eso es lo que he descubierto, Hucky. Ése es el número dos que buscamos.

—Déjame pensar —dijo Hucky.

Luego Tom habló otra vez.

—La puerta trasera de ese cuarto da al callejón sin salida. Debes reunir todas las llaves que puedas. Yo tomaré las de mi tía y nos veremos allí en la primera noche oscura y las probaremos. No dejes de vigilar a Joe. Si lo ves síguelo, para saber adónde va.

—No quisiera hacerlo solo, Tom.

—Será de noche, Hucky, no te verá y si lo hace no sospechará nada.

—Está bien, Tom. Lo seguiré aunque se hunda el mundo.

—¡Así se habla, Hucky!

Capítulo XXIX

ESA NOCHE TOM Y HUCKY ya estaban listos para la aventura. Rondaban las cercanías de la posada. Nadie entró ni salió de allí. La noche parecía serena; Tom se retiró a su casa y convinieron que si la noche se oscurecía mucho, Hucky iría a buscarlo.

El martes y el miércoles los chicos tuvieron mala suerte. La noche del jueves se mostró muy propicia. Tom se evadió con una maltrecha linterna y una larga toalla para envolverla. Ocultaron la lámpara en el barril de Hucky y montaron guardia. Todo marchaba bien. La oscuridad era perfecta.

Tom tomó la linterna, la encendió dentro del barril, la envolvió en la toalla y los dos fueron avanzando hacia la posada.

Hucky se quedó de centinela, y Tom se encaminó al callejón. Parecía que habían transcurrido siglos desde que el ex pirata se había internado en la callejuela. Arrastrado por la ansiedad, Hucky se acercaba más y más al callejón, temiendo toda clase de espantables sucesos. De pronto, hubo un destello de luz y Tom pasó delante de él como una exhalación.

—¡Corre! —dijo—. ¡Corre! ¡Sálvate!

No hubiera necesitado que se lo repitiera; Hucky corría a treinta millas por hora. Los muchachos no se detuvieron hasta llegar bajo el cobertizo de un matadero. Tan pronto como Tom recobró el aliento dijo:

—¡Hucky, fue horrible! Probé dos llaves con toda la suavidad del mundo, pero hacían tanto ruido que casi muero. Tampoco querían girar en la cerradura. Así pues, sin saber lo que hacía, agarré el tirador de la puerta y se abrió. Entré de puntas, se me cayó la toalla, y, Dios mío, ¡Hucky! Casi le piso la mano a Joe, el indio. Estaba ahí tirado, dormido como un leño.

—¿Y qué hiciste? ¿Se despertó?

—No; estaba borracho. No hice más que recoger la toalla y salir disparado.

—Dime, Tom, ¿viste la caja?

—Hucky, no esperé a mirar por allí. No vi nada.

—Tom, ahora es la oportunidad de hacernos de la caja si Joe está borracho.

—¿De veras, Hucky? Puedes hacer la prueba.

—Bueno... me parece que no.

—A mí también. Una botella no es bastante para tenerlo suficientemente borracho.

Meditaron durante un largo rato, hasta que Tom dijo:

—Mira, Hucky: más vale no intentar apoderarnos del tesoro hasta que estemos seguros que Joe no está en la habitación. Si vigilamos todos los días, una noche saldrá y ésa será nuestra oportunidad.

—De acuerdo. Yo vigilaré todas las noches si tú haces la otra parte del trabajo.

—Muy bien; ahora, Hucky, me voy a casa.

—Rondaré esa condenada posada todas las noches y dormiré por las mañanas para poder hacer la guardia.

—¿Y dónde dormirás?

—En el pajar de Ben Rodgers, ahí me dan permiso.

—Bueno; si no te necesito durante el día, te dejaré dormir, no quiero molestarte. A cualquier hora que descubras algo, corres a mi casa y maúllas.

Capítulo XXX

L O PRIMERO QUE ESCUCHÓ Tom al otro día por la mañana fue que la familia Thatcher había regresado. Tanto Joe como el tesoro pasaron a tener una importancia secundaria. La alegría del día tuvo feliz remate y corona: Becky celebró la merienda tanto tiempo prometida. Las invitaciones se hicieron por la tarde. La nerviosidad de Tom le hizo permanecer despierto hasta muy noche, y estaba esperanzado en oír el "miau" de Hucky y de poder asombrar a Becky con su tesoro al día siguiente. No hubo tal señal y se frustró su esperanza.

Llegó al fin el día siguiente y, a eso de las diez de la mañana, una alborotada y ruidosa compañía se encontraba reunida en la casa del juez. La vieja barcaza había sido alquilada para la fiesta. Sid estaba enfermo y se quedó sin ir, Mary permaneció acompañándolo. Lo último que le dijo la señora Thatcher a Becky fue:

—Será mejor que te quedes a dormir en casa de alguna de tus compañeras, pues regresarás muy tarde.

—Me quedaré con Susy, mamá.

—Muy bien, y ten cuidado.

Poco después, cuando iban caminando, Tom se acercó a Becky y le dijo:

—Te diré lo que haremos: en vez de ir a casa de Joe y su hermana, iremos a la casa de la viuda Douglas. Tendrá sabrosos helados... y se alegrará de que vayamos.

—Será muy divertido —admitió Becky; sin embargo, recapacitó—: Pero creo que no está bien...

—Pero... ¡nada! Tu mamá no lo sabrá. Lo que ella quiere es que estés en un lugar seguro y te apuesto a que te hubiera mandado allí si se le hubiera ocurrido. La hospitalidad de la viuda, junto con las razones persuasivas de Tom, ganaron la batalla.

Luego se le ocurrió a Tom que Hucky lo podría ir a buscar esa noche. Esto lo desanimó un poco, pero no se atrevía a perder los placeres de la casa de la viuda. Pensó que sería mucha mala suerte que precisamente esa noche lo buscara. Este goce cierto le agradaba más que el incierto tesoro.

La barcaza atracó tres millas más abajo de la población. La multitud saltó a tierra. Después del banquete hubo una refrescante charla. Al cabo, alguien gritó:

— ¿Quién quiere ir a la cueva?

Todo el mundo se dirigió a la gruta. Se buscaron paquetes de velas y penetraron a la caverna. Era romántico y misterioso estar ahí. En el momento que alguien encendía una vela, todos se lanzaban a apagarla.

Poco a poco la procesión empezó a subir por la abrupta cuesta de la galería principal. Dicha galería tenía como tres metros de ancho. La cueva Mac Dougall no era sino un vasto laberinto de galerías que no llevaban a ningún lado. Se podía vagar días y noches sin encontrar el fin de la cueva. Nadie conocía su totalidad. Todos habían explorado más o menos los mismos recovecos.

La comitiva caminó por la galería principal y comenzaron a jugar a las escondidillas. Poco a poco las parejas comenzaron a salir de la caverna, cansados de reír. Se asombraron al ver que el tiempo se había venido encima y ya casi oscurecía.

La campana del barco los llamaba hacía una hora. Aquel final romántico y novelesco era satisfactorio, por lo tanto a nadie le importó haber perdido el tiempo. Abordaron el vapor y regresaron a casa.

Hucky ya estaba en acecho cuando vio al vapor frente al

muelle, se preguntó qué barco sería y lo olvidó, dedicando su atención a sus asuntos. La noche era oscura. Dieron las diez y el ruido desapareció del pueblo dejando al vigilante a solas con los fantasmas. Hucky esperó un tiempo, pero nada sucedió. Su fe se debilitaba. ¿Serviría de algo? ¿Por qué no irse a dormir? Oyó un ruido. La puerta del callejón se cerró suavemente. Dos hombres pasaron junto a él llevando algo bajo el brazo. Era la caja. ¿Para qué llamar a Tom?, los dos hombres desaparecerían con el bulto y no los volvería a ver. No; se les pegaría a los talones y los seguiría. Hucky salió de su escondrijo confiando en la oscuridad y se deslizó tras ellos como un gato.

Los hombres subieron tres cuadras y torcieron a la izquierda. Pasaron por la casa del galés y siguieron cuesta arriba.

"Bueno" —pensó Hucky—; "lo enterrarán en la cantera abandonada."

Pero no se detuvieron allí. Hucky acortó la distancia. No se oía nada. El graznido de una lechuza llegó desde el otro lado de la colina. ¡Mal agüero! Estaba a punto de lanzarse a correr, cuando escuchó un carraspeo a dos pasos de él. El corazón se le subió a la garganta, pero se lo tragó de nuevo.

Conocía el lugar donde estaba: en los terrenos de la viuda.

"Muy bien" —pensó—; "que lo entierren aquí, no será difícil encontrarlo."

Escuchó luego la voz de Joe, el indio:

—¡Maldita sea!, quizá tenga visitas... hay luz todavía.

—Yo no veo nada.

Un escalofrío corrió por la espalda de Hucky. ¡Ésta era la venganza! Pensó huir, pero recordó que la viuda había sido buena con él, y los hombres aquellos quizá pretendían matarla.

—Mira... aquí puedes verla bien —dijo Joe.

—Sí. Me parece que hay gente con ella. Más vale dejarlo.

—¡Dejarlo! Precisamente cuando me voy de este pueblo para siempre... su marido me trató mal, fue el juez que me condenó e hizo azotar. Se fue sin pagármelo, pero me desquitaré con ella. No importa que sea una anciana.

—¡No la mates!

...regresó hasta la cantera y allí se echó a correr. Se fue volando hasta la casa del galés.

—¡Matar!... No la mataré, cuando uno se quiere vengar de una mujer no la mata. Le desgarras la cara rompiéndole la nariz y cortándole las orejas.

—¡Por Dios!

—Pienso atarla a la cama, si se desangra y muere no es culpa mía. Amigo, me ayudarás en esto. Porque si te echas para atrás, te mato.

—Bueno, si ha de hacerse vamos ya.

—¿Hacerlo ahora, que hay gente allí? Esperaremos a que apaguen las luces.

Hucky comprendió lo que sucedería; de modo que contuvo el aliento y dio un paso atrás. Retrocedió otro paso con el mismo cuidado y regresó hasta la cantera y allí echó a correr. Se fue volando hasta la casa del galés. Golpeó la puerta y las cabezas del viejo y de sus hijos aparecieron en las ventanas.

—¿Qué escándalo es éste? ¿Quién llama?

—¡Ábranme pronto! Soy Huckleberry Finn.

—No es un nombre que abra muchas puertas; pero, déjenlo entrar, muchachos.

—¡Por favor! No digan nada, no digan que yo les dije —fueron las primeras palabras del valiente ex pirata—, porque me matará. La viuda ha sido buena conmigo y les diré lo que pasa, si no dicen quién se los contó.

—Apuesto a que tiene algo gordo.

Tres minutos después el viejo y sus dos hijos, bien armados, se encontraban en lo alto del monte. Hucky los acompañó hasta allí. Hubo un ansioso silencio y luego un disparo y un grito. Hucky ya no esperó más y se echó a correr.

Capítulo XXXI

EL DOMINGO EN LA MADRUGADA, Hucky subió por el monte y llamó a la puerta del galés. Una voz gritó:

—¿Quién es?

—Soy Hucky.

—Es un nombre que puede abrir siempre esta puerta. ¡Bienvenido muchacho!

Estas palabras eran inusitadas para el pequeño vagabundo. Rápidamente entró y le ofrecieron asiento.

—Bueno, espero que estés bien y con hambre. Tranquilízate por lo tocante al desayuno. Los muchachos y yo esperamos a que vinieras a dormir aquí anoche, pero no llegaste.

—Estaba muy asustado y corrí cuando oí los disparos. Vine a enterarme de lo sucedido, y no quería encontrarme con esos malditos aunque estuvieran muertos.

—Tienes cara de haber pasado mala noche. No están muertos, y lo sentimos mucho. El sendero estaba oscuro, pero sabíamos dónde se encontraban. Los teníamos casi en la mira, cuando estornudé. Los canallas corrieron. Grité: "¡Fuego!" y los bandidos se escaparon. No creo haberlos herido. Luego reunimos una cuadrilla de policías para que vigilaran el río. Me gustaría tener una descripción de ellos, pero no creo que tú los hayas visto.

—Sí, los vi en el pueblo. Uno de ellos es el viejo "español" y el otro es un tipo andrajoso.

—Eso basta. Los conocemos, un día en el bosque nos encontramos con ellos. Vamos a contárselo al alguacil.

—Por favor no digan a nadie que yo les avisé.

—Muy bien, pero a ti se te debe reconocer tu valor.

Hucky no explicó nada más.

—¿Cómo se te ocurrió seguirlos? ¿Parecían sospechosos?

—Bueno; soy una especie de chico malo. Algunas veces no puedo dormir. Eso me pasó anoche, y se me ocurrió subir por la calle; cuando llegué al almacén de ladrillos, me recosté para pensar un rato. En aquel momento pasaron esos dos fulanos con una caja bajo el brazo, y pensé que la habían robado. La luz de los cerillos les alumbró la cara por unos instantes y vi que el alto era el "español" y el otro un diablo lleno de jirones. Los seguí hasta el portillo de la finca de la viuda, oí que discutían, y el "español" juró cortarle la cara a la viuda.

Hucky cometió un terrible error: trató de impedir que el viejo sospechara algo sobre la identidad del "español" y tal parecía que su lengua estaba empeñada en causarle problemas. Intentó componer las cosas, pero se enredó más. El anciano se dio cuenta y le dijo:

—Muchacho, no temas, yo te protegeré. Sabes algo y no lo quieres decir, confía en mí.

Hucky miró los sinceros ojos del galés y luego murmuró:

—No es español... ¡Es Joe, el indio!

—Ahora se explica todo, pensé que era de tu cosecha, pero tratándose de Joe, es diferente.

Mientras desayunaban platicaron y llegaron a la conclusión de no haber herido a nadie, pero habían encontrado un bulto abandonado por los maleantes.

—¿Qué contenía? —preguntó ansioso Hucky.

—Herramientas de las que usan los ladrones.

Hucky se reclinó en su silla, indeciblemente gozoso.

—Eso parece que te alivió mucho. ¿Qué creías que encontrarían en el bulto?

Hucky se encontraba en un callejón sin salida, se le ocurrió una respuesta absurda, y la soltó a la buena de Dios.

—Catecismos, quizás.

El pobre Hucky estaba tan preocupado que no podía sonreír, pero el anciano se rio fuerte y alegremente.

—¡Pobre muchacho! No debes sentirte bien.

Hucky estaba irritado al ver que se había comportado como un asno. Hizo a un lado la idea de que el bulto que los facinerosos llevaban fuera el tesoro. De hecho, todo marchaba muy bien; el tesoro tenía que estar en el número dos; los hombres serían atrapados y entonces Tom y él se apoderarían del oro, sin ninguna dificultad.

Precisamente cuando terminaban el desayuno llamaron a la puerta. El galés la abrió y varias personas entraron. La noticia se había propagado.

El galés relató los incidentes de la noche a sus visitantes; la viuda no se cansaba de expresar su agradecimiento.

—No hable más de ello, señora. Hay otro a quien tiene que agradecer más. De no ser por él, no hubiéramos estado allí.

Esto suscitó una enorme curiosidad, que el galés dejó que corroyera a sus huéspedes y a través de ellos a todo el pueblo.

Llegaron más visitantes y hubo que repetir una vez más la historia. No había escuela dominical durante las vacaciones, pero todos fueron temprano a la iglesia. El emocionante acontecimiento fue muy discutido.

Cuando terminó el sermón, el juez Thatcher se acercó a la señora Harper y le preguntó:

—¿Becky se va a pasar dormida todo el día? Aunque imagino que ha de estar muerta de cansancio.

—¿Becky? —dijo extrañada la madre de Joe y Susy.

—Sí. ¿No pasó la noche con ustedes?

—No, señor juez.

La esposa del magistrado se dejó caer en un banco en el momento en que pasaba la tía Polly y saludaba.

—Buenos días, señoras. Tom no aparece, me imagino que pasó la noche con su gran amigo Joe.

—No, señora, Tom no estuvo con ninguna de nosotras —aclaró la señora Harper.

—Joe, ¿has visto a Tom esta mañana?

El chico contestó negativamente, y luego hizo memoria para recordar cuándo había sido la última vez que vio a Tom, pero no estaba seguro. Fueron interrogados todos los niños y los instructores. Un joven dejó escapar su temor de que tal vez aún se encontraran en la cueva. La madre de Becky se desmayó.

La alarma corrió de boca en boca, en menos de cinco minutos el pueblo se había echado a la calle. Lo ocurrido en el monte Cardiff se sumió en la insignificancia. Se olvidaron de los malhechores, y antes de media hora doscientos hombres se apresuraban hacia la cueva.

Durante la tarde el pueblo parecía muerto. Muchas señoras visitaron a la señora Thatcher y a la tía Polly para consolarlas o llorar con ellas.

Por la noche la gente esperaba noticias. La esposa del juez estaba trastornada. El señor Thatcher les mandaba recados desde la cueva para darles ánimo.

El viejo galés regresó a su casa lleno de sebo y lodo y encontró a Hucky todavía en la cama y delirando de calentura. Todos los doctores estaban en la caverna, así que la viuda se hizo cargo del paciente.

Al día siguiente, docenas de hombres llegaban al pueblo; los más vigorosos continuaron la búsqueda. Todo lo que se sabía era que estaban registrando profundidades de la cueva, jamás antes exploradas. Narraban que de cuando en cuando se veían unos cuantos y débiles resplandores a lo lejos, pero se encontraban con que no eran los niños.

Tres días y tres noches pasaron, y todo el pueblo se hundió en un sopor sin esperanza. El descubrimiento casual de que en la "Posada de la Templanza" se escondía licor, no interesó.

En un momento de lucidez, Hucky preguntó si se había descubierto algo en la posada.

—Sí —respondió la viuda.

Hucky se incorporó.

—¿Qué se ha descubierto?

—Licores. Además cerraron la posada.

— ¿Dígame, fue Tom quien los encontró?

— ¡Calla! Ya te dije que no debes hablar, estás muy enfermo.

Nada habían encontrado, se hubiera armado el gran escándalo si hubiera sido oro, así pues, el tesoro estaba perdido. Estos pensamientos pasaron por la mente de Hucky.

— ¡Qué Tom los descubrió...! ¡Lástima que no lo encuentren a él! Ya nadie tiene esperanzas de hallarlos — comentó la viuda tristemente.

Capítulo XXXII

Tom y Becky, con otros muchachos y muchachas, estuvieron recorriendo los subterráneos de la cueva. Después empezó el juego y la algazara del escondite, y Tom junto con Becky tomaron parte en él con tal ardor que no tardaron en sentirse cansados. Se internaron por un sinuoso pasadizo y vieron la enmarañada confusión de nombres, fechas y lemas que habían sido pintados en las paredes. Siguieron charlando y apenas notaron que ya se encontraban en un lugar cuyos muros estaban limpios de inscripciones. Escribieron sus nombres. Tom sintió la tentación de convertirse en descubridor. Trazaron una marca con el humo de la vela, para que ésta les sirviera de guía para el regreso y continuaron avanzando. En cierto lugar toparon con una espaciosa gruta con un manantial. Su techo estaba sostenido por gruesos pilares de roca. Bajo este techo había grandes ristras de murciélagos agrupados por miles; la luz de las velas los inquietó y se precipitaron en grandes bandas contra los chicos. Tom sabía el peligro que representaban, tomó a Becky por una mano y se dirigió a una abertura, pero no fue lo suficientemente rápido, pues un murciélago apagó la vela que Becky llevaba. Los animaluchos los persiguieron un gran tramo y Tom pudo encontrar un lago subterráneo; quiso explorar sus orillas, pero pensó que sería mejor sentarse a descansar. Fue entonces cuando, por primera vez, tuvieron un extraño presentimiento que los hizo recapacitar.

...había grandes ristras de murciélagos agrupados por miles; la luz de las velas los inquietó y se precipitaron en grandes bandadas contra los chicos.

—Probablemente me equivoco, pero desde hace mucho tiempo no oímos a los demás...

—Yo creo, Becky, que estamos un poco más abajo que ellos; no se oye ninguna voz.

La inquietud de Becky aumentó y temerosa inquirió:

—¿Podrás dar con el camino, Tom?

—Creo que sí —contestó Tom—, pero lo malo son los murciélagos. Si nos apagan las dos velas, será un apuro grande. Probemos por la otra parte.

—Bueno, pero espero que no nos perdamos.

Echaron a andar por un corredor, para ver si encontraban algo que les fuera familiar; pero todo era desconocido.

—¡Todo está bien! Esta galería no es, pero pronto daremos con la otra —dijo Tom.

—¡Oh, Tom! Nada importan los murciélagos. Volvamos por ese camino.

—Escucha —dijo el muchacho.

Tom gritó. Su voz fue despertando ecos por los profundos corredores y se desvaneció en la lejanía.

—¡Oh! ¡No lo hagas de nuevo! ¡Es horrible! —dijo la niña.

—Sí, es horrible, pero hay que hacerlo, Becky. Los demás pueden escucharnos. Debemos intentarlo —y volvió a gritar.

Ese "pueden" era aún más escalofriante que una risa diabólica. Los muchachos se quedaron quietos y escucharon. Todo era inútil. Los movimientos de Tom era más indecisos, esto reveló a Becky una cosa fatal: ¡no podía encontrar el camino de regreso!

—¡Tom, no dejaste alguna señal!

—¡Becky, qué tonto fui! No pensé que tendríamos que volver al mismo lugar.

La pequeña se dejó caer al suelo y rompió en un frenético llanto. Tom pensó que Becky moriría. El chico le rogó que recobrara la esperanza. Él se culpó por haberla puesto en tan terrible situación. Esto produjo mejor resultado, pues ella era tan culpable como él.

Por lo tanto, se pusieron de nuevo en marcha. Por unos

momentos pareció que la esperanza volvía. Poco después, Tom cogió la vela de Becky y la apagó. Después el cansancio comenzó a crecer; pero sentarse era una invitación a la muerte.

Al cabo, las débiles piernas de Becky se negaron a llevarla más lejos. Se sentó. Tom se puso a su lado. La fatiga pesó tanto sobre Becky que se quedó dormida. El chico se alegró por ella. Sumergida aún en sus ensueños, Becky despertó riéndose; se sentía desconcertada.

—No sé cómo pude dormir. ¡Ojalá no hubiera despertado nunca! No me mires así, Tom, no volveré a decirlo.

—Me alegro que hayas dormido, Becky. Ahora ya no te sentirás tan cansada. Valor, Becky. ¡Vamos a seguir buscando!

Se levantaron y reanudaron la marcha, descorazonados. Tom dijo que debían caminar muy silenciosamente y escuchar el goteo del agua, pues era preciso encontrar un manantial. Hallaron uno al poco rato, y tomaron otro descanso. Se sentaron y Tom fijó la vela en el muro delante de ellos con un poco de barro. El tiempo transcurría.

—Tom, ¡tengo hambre!

—¿Te acuerdas de esto? —dijo el muchacho, sacando algo del bolsillo.

—Es nuestro pastel de bodas.

—Sí, me gustaría que fuera tan grande como una barrica, porque es lo único que tenemos.

Tom dividió el "pastel" en dos. Becky comió su parte con apuro, en tanto que el valiente explorador sólo le dio un mordizco a la suya.

Había mucha agua fresca para completar el festín. Después, Becky sugirió reanudar la marcha. Tom opinó:

—Becky, debemos permanecer aquí, donde hay agua para beber. Ese cabito es lo único que nos queda de la vela.

—¡Tom! Nos echarán de menos y nos buscarán.

—Sí, ciertamente. Así lo harán.

—Acaso ya nos estarán buscando ahora, Tom.

—¡Puede ser!, seguramente no se han marchado.

La angustia de Becky hizo comprender a Tom la indiscreción que involuntariamente había cometido. ¡Becky no iba a pasar la noche en su casa!

Sus sollozos indicaron a Tom que lo que tenía en mente se le había ocurrido también a ella; que podían pasar así toda la mañana del domingo. Los niños permanecieron con los ojos fijos en el pedazo de vela y lo vieron consumirse inexorablemente. Luego reinó la oscuridad, lo que hizo llorar a Becky.

¿Cuánto tiempo pasó después de que la vela se había consumido? Ninguno de ellos lo sabía. Todo lo que sabían era que, al despertar, se vieron sumidos en sus angustias de nuevo. Tom pensó que posiblemente fuera domingo o quizás lunes. El chico pensó que ya habían notado su ausencia desde hacía mucho tiempo y que los estarían buscando.

Las horas pasaron y el hambre volvió. Tom tenía un poco de "pastel" y lo dividieron nuevamente entre los dos.

—¡Chist! ¿No oyes?

Contuvieron el aliento y escucharon. Se oía un grito remotísimo. Tom respondió a él, y tomó a Becky de la mano, echando a correr por la galería. Se detuvo y escuchó el mismo sonido más cerca que antes.

—¡Son ellos! —dijo Tom—. Ya vienen. ¡Estamos salvados!

La alegría enloquecía a los extraviados; avanzaron despacio, porque había muchos hoyos y despeñaderos. Al poco tiempo llegaron a uno de ellos y tuvieron que detenerse. Tom se echó al suelo, y estirando el brazo lo metió al agua cuanto pudo. No dio con el fondo. Escucharon que los gritos se iban perdiendo en la lejanía. Después dejaron de oírse.

Volvieron al manantial, se durmieron de nuevo, y se despertaron más hambrientos. Tom creía, según sus cálculos, que ya era martes para entonces.

Por ahí cerca se abrían varias galerías. Era mejor explorarlas que esperar en la oscuridad. Sacó del bolsillo una cuerda para papalotes, la ató a una roca y Becky y él avanzaron al interior de la galería. Cuando llegaron al final de la misma regresaron, siguiendo la cuerda, a su lugar de origen. En aquel momento apareció detrás de un peñasco una mano humana sosteniendo una vela. Tom lanzó un grito de alegría. Pero al ver a Joe, el indio, quedó paralizado, sólo reaccionó al ver que éste desaparecía. El miedo le aflojó los músculos, se dijo que de tener fuerzas regresaría al manantial y no correría el riesgo de volver a encontrarse con Joe.

El hambre acabó por sobreponerse al miedo. Otro largo sueño cambió su opinión, cuando se despertaron Tom creyó que sería miércoles o acaso viernes o sábado y que habrían terminado con la búsqueda. Propuso explorar otra galería, estaba dispuesto a afrontar el peligro de Joe o cualquier otro. Becky estaba sumida en una mortal apatía. Le dijo a Tom que fuera a explorar, pero le hizo prometer que cuando llegara el terrible momento estaría a su lado. Tom le hizo ver que tenía confianza en encontrar a los buscadores o un escape para salir de la cueva; luego tomó la cuerda y empezó a andar.

Capítulo XXXIII

LLEGÓ LA TARDE del martes y se desvaneció el crepúsculo. El pueblo se encontraba en recogimiento. Los niños no habían sido hallados. Todavía no se había obtenido una buena noticia. La mayoría de los hombres había abandonado la búsqueda. La madre de Becky estaba enferma, lo mismo que la tía Polly.

A la medianoche un frenético repiqueteo de campanas hizo que las calles se llenaran de gente alborotada que gritaba:

—¡Arriba! ¡Ya aparecieron!

El vecindario formó grupos que fueron avanzando hacia el río y se encontraron con los niños que venían en un coche descubierto empujado por la multitud.

Se iluminó todo el pueblo; era la ocasión más memorable de aquel lugar. La felicidad de Polly era completa, como la de la señora Thatcher, a quien sólo le faltaba su esposo que se encontraba aún en la cueva.

Tom estaba rodeado de un numeroso auditorio y contaba la pasmosa aventura, introduciendo emocionantes adornos para hacer todo más espectacular; y la cerró con la descripción de cómo dejó a Becky y exploró dos galerías hasta que en una tercera divisó un puntito de luz. Se arrastró hasta allí, sacó la cabeza por un angosto agujero y vio el río Misisipi. Contó cómo había vuelto por Becky y cómo ella casi muere de alegría cuando vio la luz; cómo logró salir del agujero y cómo llegaron unos hombres en un bote, y que la explicación de Tom los convenció de que los llevaran al pueblo.

Tres días en la cueva no era cosa pasajera, según lo comprobaron Tom y Becky que pasaron dos días en cama. Tom se levantó para el jueves y el sábado ya estaba como nuevo. Tom se enteró de la enfermedad de Hucky y fue a verlo, pero no lo dejaron entrar hasta dos días después. Cuando lo vio le prohibieron contar su aventura. Tom supo lo acontecido en el monte Cardiff y también que el cadáver de un hombre harapiento se encontró en el estancadero; se había ahogado al intentar escapar.

Quince días después Tom visitó a Hucky, quien ya estaba repuesto y podía escuchar cualquier charla excitante. La casa del juez le quedaba de camino y pasó a ver a Becky. El abogado y unos amigos le hicieron hablar y le preguntaron irónicamente si le gustaría ir de nuevo a la cueva, a lo que el muchacho contestó afirmativamente.

—Bueno —dijo el juez—, habrá otros como tú, pero nadie volverá a ese lugar. Hace dos semanas le pusieron una puerta con chapas de hierro y dos cerraduras.

Tom palideció.

—¿Qué te sucede? —preguntó el señor Thatcher.

Trajeron un poco de agua y mojaron al chico.

—¡Oh, señor juez! ¡Joe, el indio, está en la cueva!

Capítulo XXXIV

EN UNOS CUANTOS minutos se esparció la noticia y una docena de botes se encaminaba hacia la puerta de la caverna. Al abrirla se presentó un lastimoso espectáculo en la entrada. Joe, el indio, estaba tendido en el piso, muerto, con la cara pegada a la cerradura de la puerta. Tom se conmovió, pues, por experiencia sabía lo que ese hombre habría sufrido, pero también experimentaba una sensación de descanso.

Junto a Joe estaba su navaja partida en dos. La viga que sostenía la puerta estaba cortada. El prisionero se las había ingeniado para cazar algunos murciélagos que devoró. El indio murió de hambre. Joe rompió la estalagmita que estaba frente a él, y sobre el muñón colocó una roca en la cual talló una oquedad para recibir la preciada gota de agua que caía cada veinte minutos con la desesperante precisión de un reloj.

El indio fue enterrado cerca de la boca de la cueva; la gente asistió allí y confesó que se había divertido tanto con el entierro de Joe como si lo hubieran colgado.

Al día siguiente, Tom llevó a Hucky a un lugar solitario para tratar un asunto importante. Al chico se le había informado de todo, pero Tom le dijo que todavía desconocía algo. Hucky sorprendido dijo:

—Ya sé de qué se trata. No encontraste más que whisky en el número dos. Supuse que tú lo habías descubierto. También, que no encontraste dinero, porque si lo hubieras hallado ya me habrías entregado mi parte. Siempre supe que jamás nos haríamos del tesoro.

—No, Hucky, yo no acusé al dueño de la posada. ¿Recuerdas que tú habías ofrecido estar allí esa noche?

—Parece que eso fue hace años. Fue la noche que seguí a Joe hasta la casa de la viuda.

—¿Lo seguiste?

—Sí, pero no lo digas. De no ser por mí, ahora el indio estaría en Texas.

Hucky contó a Tom su aventura.

—Bueno —dijo Hucky—, quienquiera que descubriera el licor le echó mano al dinero.

—Hucky, el dinero nunca estuvo en el número dos. Está en la cueva.

Los ojos de Hucky resplandecieron.

—¿Es una broma o lo dices en serio?

—Muy en serio. ¿Irás conmigo y me ayudarás a traerlo?

—¡Por supuesto que sí! Pero, ¿qué te hace pensar que el tesoro está allí? ¿Cuándo iremos?

—Ahora mismo, si tienes fuerzas.

—Hace tres días que ya estoy bien; podré caminar más o menos una milla.

—No te preocupes, conozco un atajo. Te llevaré en un bote hasta él. Yo lo traeré remando y tú no tendrás que moverte.

—Entonces, en marcha.

—Necesitamos pan, comida, dos pipas, dos talegas y dos o tres cuerdas para papalote. También fósforos, como los que ya se están usando ahora.

Poco después los muchachos tomaron un bote y de inmediato se pusieron en marcha.

—¿Ves esa ladera? Te parece toda igual cuando se baja; pero, ¿ves ese lugar blanco donde hubo un desprendimiento de tierra? Pues esa es una de mis señales.

Saltaron a tierra y empezaron a caminar.

—Ahora, Hucky, a ver si das con el agujero —dijo Tom.

Hucky buscó por todos lados, pero no encontró nada.

—Aquí está. Míralo. Es el agujero más escondido del mundo. Siempre quise ser un bandolero, pero necesitaba una cosa de éstas. Sólo se lo diremos a Joe y a Ben, porque debe haber una banda. ¡La banda de Tom Sawyer! Suena bien.

—Ya lo creo, Tom. ¿Y a quién robaremos?

—A todo el mundo. Secuestrar gente es lo que más se acostumbra.

—Y matarlos, ¿verdad?

—No, no siempre, sino esconderlos en una cueva hasta que paguen el rescate.

—¿Qué es rescate?

—Dinero. Haces que los parientes te den todo el dinero posible y después de tener prisionera a una persona durante un año, la devuelves. Si no te dan el dinero, la matas. A las mujeres no las liquidas, las encierras y no las matas. Siempre son ricas y bellas. Les robas lo que traen encima, pero siempre les hablas con mucha cortesía. No hay nadie tan cortés como los bandoleros... Las mujeres se enamoran de ti, y luego no existe poder humano que las desaparezca.

—Creo que es mejor que ser pirata.

—Sí; además, estás más cerca de tu casa y de los circos.

Ya para entonces estaban hechos todos los preparativos y los muchachos entraron al agujero. Unos cuantos pasos más y se encontraron en el manantial y Tom enseñó a Hucky el fragmento de pabilo pegado al muro, y le contó cómo Becky y él lo habían visto consumirse.

Siguieron adelante y entraron a la siguiente galería. A la luz de la vela pudieron ver que no era un despeñadero.

—Ahora te enseñaré algo, Hucky.

Levantó la vela y mostró a su compañero el techo de la enorme cueva y le indicó:.

—Mira tan lejos como puedas al otro lado de la esquina. ¿Ves aquello? En el peñasco... pintada con humo de vela.

—Tom, es una cruz.

—Y ahora, ¿dónde está tu número dos? Debajo de la cruz.

Hucky contempló el místico emblema y dijo:

—Tom, vámonos. El ánima de Joe, el indio, anda por aquí.

—No, Hucky, rondará por el lugar donde murió.

Tom temió que Hucky tuviera razón, pero pronto se le ocurrió una idea.

—Mira, Hucky: ¡qué tontos somos! ¡El espíritu de Joe no puede rondar donde hay una cruz!

—Tom, no pensé en eso. Es una suerte. Busquemos la caja.

Tom bajó primero y Hucky lo siguió. Los muchachos examinaron la galería, pero no había ninguna caja con dinero. Buscaron y rebuscaron en vano, hasta que Tom dijo:

—Él dijo: "bajo la cruz". Bueno, esto es lo más cerca de la cruz. No puede ser bajo la roca.

Buscaron una vez más. Hucky no podía sugerir nada. Después de un rato, Tom encontró otras pistas.

—Mira, Hucky: hay pisadas y sebo por un lado del peñasco. Te apuesto que el dinero está bajo la peña. Cavaré en donde está blanda la arcilla.

La "legítima Barlow" de Tom entró en acción y no había ahondado cuatro pulgadas, cuando tocó madera.

—¡Mira, Hucky! ¿Oyes eso?

Hucky empezó a escarbar con furia. Encontraron unas tablas y las levantaron. Comenzaron a descender hacia la gruta oculta bajo las vigas y la exploraron. Al cabo de unos momentos, Tom exclamó:

—¡Santo Dios! ¡Parece que la encontré!

Era la caja del tesoro, colocada en una pequeña caverna en compañía de otras cosas.

—Hucky, siempre pensé que sería nuestro. Saquémoslo rápido. Tendremos que ponerlo en las talegas.

Pronto estuvo el dinero en los costales y los subieron a la roca donde estaba la cruz.

Emergieron por entre la espesura del matorral, no vieron a nadie y poco después se encontraron almorzando y fumando en el bote. Desatracaron y emprendieron el regreso. Tom bordeó la orilla charlando alegremente con Hucky, y ya de noche desembarcaron sin problemas.

*Era la caja del tesoro, colocada en una pequeña caverna
en compañía de otras cosas.*

—Ahora, Hucky, esconderemos el dinero en el desván de la viuda, lo enterraremos en el bosque después. Espera aquí, no me tardo, voy a traer el carro de Ben.

Al poco rato regresó con el carro, pusieron en él las bolsas, las cubrieron con trapos, y echaron a andar. Cuando llegaron frente a la casa del galés, el viejo salió a la puerta y gritó:

—¿Quién es? ¡Ah, son ustedes!

Hucky y Tom se dirigieron hacia él.

—Vengan conmigo, chicos. ¡Vamos pronto! Yo llevaré el carro. Pero, cómo pesa. ¿Qué llevan allí?

—Hierro viejo —dijo Tom.

Los muchachos estaban desconcertados y preguntaron a qué se debía tanto apresuramiento.

—Ya lo verán cuando lleguemos a la casa de la viuda.

—Señor Jones, no hemos hecho nada.

—Bueno, Hucky, yo no lo sé.

Esto todavía no estaba claro para Hucky, cuando fueron arrojados al salón de la viuda. Jones dejó el carro a la entrada de la casa y luego se dirigió al interior.

El salón estaba iluminado y, en él, la gente importante del pueblo los esperaba. La viuda recibió a los muchachos con gran amabilidad. Estaban cubiertos de barro de los pies a la cabeza. Nadie sufrió más que los chicos. Jones dijo:

—Me encontré a Tom y a Hucky y los traje de inmediato.

—Hizo usted muy bien. Vengan conmigo —dijo la viuda, y llevándoselos a una recámara les ordenó—: Ahora lávense y vístanse. Allí hay dos trajes. Camisas, zapatos, todo está completo. El señor Jones compró uno y yo el otro. Los esperamos en cuanto estén listos.

Y diciendo esto, la viuda se marchó.

Capítulo XXXV

HUCKY NO SOPORTABA vestirse como gente decente, así que se dirigió a Tom y dijo:

—Si tuviéramos una soga podríamos escaparnos de aquí. La ventana no está muy alta. Yo no estoy hecho para estas cosas. Yo no bajo.

—¡Cállate! No te pongas así.

Sid apareció en ese momento.

—Tom, nuestra tía te ha estado buscando toda la tarde. Todo el mundo rabiaba en contra tuya. Oye, ¿eso es barro?

—Mucho cuidado, Sid, no te metas en lo que no te importa. Pero sí puedes decirnos: ¿Qué pasa aquí?

—Es una de las fiestas que da la viuda. Ésta es para agradecer a Jones el haberla salvado. El galés piensa dar una sorpresa; pero creo que ya todos lo saben. Jones no podía revelar su secreto sin estar presente Hucky.

—¿Qué secreto, Sid?

—El de Hucky siguiendo a los ladrones hasta la casa de la viuda, para después denunciarlos.

—Sid, ¿fuiste tú quien lo dijo? Claro que fuiste tú. Sólo hay una persona tan ruin para hacerlo, y ése eres tú. Si hubieras estado en el lugar de Hucky no hubieras hecho nada para intentar la captura de los asesinos.

Tom le administró a Sid un par de derechazos y lo ayudó a llegar a la puerta a puntapiés.

Pocos minutos después, los invitados de la viuda estaban en la mesa. Jones pronunció un discurso agradeciendo a la anfitriona el convite, pero dijo que había otra persona a quien cuya modestia...

Y etcétera. Disparó el secreto de la participación de Hucky en la aventura, en el mejor estilo dramático. La sorpresa no fue como se esperaba. Pero la viuda actuó tan bien y acomodó tantos elogios y cariños para Hucky, que éste casi olvidó la molestia del traje y la corbata.

La viuda anunció que Hucky sería su protegido y que le daría una educación adecuada para poderse ganar la vida. Llegó la oportunidad que Tom esperaba.

—Hucky no lo necesita. Él es rico.

Sólo los buenos modales, impidieron que estallasen las risas.

—Hucky tiene dinero. Tal vez no lo crean, pero es rico. Yo se los mostraré.

Salió corriendo del comedor y las miradas se dirigieron a Hucky. Tom entró de nuevo, luchando contra el peso de las bolsas. El chico derramó el montón de monedas amarillas sobre la mesa y triunfante exclamó:

—Aquí está. La mitad es de Hucky y la otra es mía.

El espectáculo dejó a todos sin aliento. Luego pidieron alguna explicación. El relato fue largo pero rebosante en interés. Cuando llegó a su fin, el galés sólo pudo decir:

—Yo les tenía una sorpresa, pero ante ésta la mía es nada.

Contaron el dinero y la suma fue de doce mil dólares. Más de lo que muchos habían visto jamás en su vida.

CAPÍTULO XXXVI

L A INESPERADA FORTUNA de Hucky y de Tom produjo una
inmensa conmoción en la pobre aldea de San Petersburgo. Todas las casas encantadas del pueblo fueron re-
gistradas tabla por tabla. Dondequiera que Hucky y Tom se
presentaban eran agasajados. Los muchachos no recordaban
que antes sus opiniones fueran consideradas de tanta importancia. El periódico del pueblo publicó bosquejos biográficos
de los ex piratas.

La viuda colocó el dinero de Hucky al seis por ciento, y el
juez Thatcher hizo otro tanto con el de Tom. Cada uno de ellos
tenía ahora una renta prodigiosa.

El juez se había formado una alta impresión de Tom.
Decía que un muchacho cualquiera no hubiera sacado a su hija
de la cueva. Esperaba ver convertido algún día a Tom en un
gran abogado o en un magnífico general. Lo mandaría a la aca-
demia militar y luego a la mejor escuela de derecho, para que
siguiera una u otra o ambas carreras.

Las riquezas de Hucky y el cuidado de la viuda arrastra-
ron al otrora Manos Rojas a la alta sociedad.

Durante tres semanas Hucky soportó esto y luego, un
buen día, se esfumó. Lo buscaron durante cuarenta y ocho horas con gran angustia. Al tercer día, con un certero instinto,
Tom encontró al fugitivo detrás de unas barricas. Estaba sucio, despeinado, vestía sus antiguos harapos que lo habían

hecho pintoresco y feliz. Tom lo sacó de allí y Hucky perdió su ecuanimidad, y furioso le explicó:

—Tom, no me recuerdes eso. Ya hice la prueba. La viuda es buena conmigo, pero no aguanto levantarme temprano todos los días; hace que me lave; debo llevar ese traje que me mata. No puedo rodar por el suelo, ni sentarme en el piso. No resisto los sermones y, para colmo, el domingo tengo que llevar zapatos.

—Bueno, Hucky, todo el mundo vive así.

—Tom, eso no cambia nada. Yo no soy todo el mundo. Tengo que pedir permiso para nadar e ir a pescar. ¡Maldita sea! Debo hablar tan pulidamente que hasta me dan ganas de no abrir la boca. Tengo que subir al desván para maldecir. La viuda no me deja fumar. ¡Maldita sea mi suerte! Nunca para de rezar. Tenía que irme, además, la escuela va a empezar y yo debo ir. Mira Tom, ser rico no es importante. Estos harapos me gustan, lo mismo que mi barril. Sabes, Tom, toma mi parte y me das diez centavos de cuando en cuando y le dices a la viuda que no se preocupe por mí.

—Hucky, yo no puedo hacer eso. Si pruebas un poco más, tal vez te guste.

—¿Gustarme? Tanto como un brasero si tuviera que sentarme en él. No quiero ser rico. Ahora que teníamos la cueva y las escopetas que había allí, podíamos ser bandoleros y me salen con esta tontería.

Tom vio su oportunidad.

—Hucky, el ser rico no quiere decir que dejemos de ser bandoleros, si así lo queremos.

El muchacho se interesó y desconfiado preguntó:

—¿Hablas en serio?

—Es verdad. Pero, no podemos admitirte en la banda si no vives decentemente.

La alegría de Hucky se desvaneció.

—Antes sí me dejabas ser pirata.

—Sí, pero esto es diferente. Un bandido es de más categoría. En muchos países son duques y cosas así.

—Tom, siempre has sido mi mejor amigo. No me dejarás fuera de tu banda, ¿verdad?

—Hucky, no quisiera, pero ¿qué opinaría la gente?: ¡La banda de Tom Sawyer! ¡En ella hay personas de malos antecedentes! Y eso lo dirían por ti, y yo no quiero que te sientas mal.

Hucky permaneció en silencio. Por último se esforzó y dijo:

—Bueno... volveré con la viuda por un mes. Veré si puedo aguantarlo, si tú me dejas formar parte de tu banda.

—¡Perfecto! Hucky, vente conmigo, viejo, y yo le pediré a la viuda que te afloje un poquito.

—¿De veras? Si lo haces fumaré a escondidas y maldeciré a solas, saldré adelante o moriré. ¿Cuándo formarás la banda?

—De inmediato. Reuniremos a los muchachos y celebraremos la iniciación esta misma noche.

—¿Celebraremos qué? ¿Qué es la iniciación?

—Es jurar que nos defenderemos unos a otros, no revelar nunca los secretos de la banda y matar a cualquiera que haga daño a alguno de nosotros.

—¡Eso me parece divertidísimo! De veras, Tom.

—Ya lo creo. Y todos esos juramentos hay que hacerlos a medianoche, en una casa embrujada; pero ahora todas están hechas escombros.

—Bueno, hacerlo a medianoche vale también, aunque no sea en una casa embrujada.

—Sí, y hay que jurar sobre un cajón de muerto y firmarlo con sangre.

—¡Magnífico! ¡Sí, es mil veces mejor que ser pirata! Y si llego a ser un ladrón de primer orden, de los que salen en los periódicos, la viuda se pondrá orgullosa de haberme recogido de la calle.

CONCLUSIÓN

Así finaliza este relato. Por ser la historia de un niño termina aquí; si continuara se convertiría en la historia de un hombre. Cuando se escribe sobre gente grande el desenlace puede llegar a ser un feliz matrimonio, pero cuando se trata de niños uno debe detenerse cuando el tiempo, inexorablemente, cambia los caracteres de los personajes.

Muchas de las personas que aparecen en esta obra viven todavía y son ricas y felices. Quizá en alguna época venidera será oportuno retomar la historia de los jóvenes, y ver qué clase de hombres y mujeres resultaron; por lo tanto, será más sensato no seguir narrando ahora el cambio que ocurra en sus vidas.

ÍNDICE

1294